MATTHIEU ARON

Matthieu Aron est directeur de la rédaction de France Inter. Il fut rédacteur en chef à France Info, en charge des affaires de justice et de police pendant quinze ans.

Il a co-écrit avec Marie-France Etchegoin *Eva ou la justice est un roman* (Robert Laffont, 2002) et *Le Bûcher de Toulouse, d'Alègre à Baudis : histoire d'une mystification* (Grasset, 2005). Il a ensuite publié *Gardés à vue* (Les Arènes, 2010) et *Les Grandes Plaidoiries des ténors du barreau* (Jacob-Duvernet, 2011).

Matthieu Aron est également co-auteur de quatre documentaires de 52 minutes diffusés sur France 2 et France 3 en 2008 et 2009, notamment *Faits divers, enquête sur la mécanique du pire*, qui dépeint trois affaires ayant défrayé la chronique à la suite desquelles des innocents ont été condamnés : l'affaire Chouraqui (1988), l'affaire Baudis (2003) et l'affaire d'Outreau (2005). Il a participé à l'écriture du téléfilm *Notable donc coupable*, diffusé sur France 2 ainsi qu'à celle d'une fiction, *Les Prédateurs*, de Lucas Belvaux avec Claude Brasseur, consacrée à l'affaire Elf, pour Canal plus.

LES GRANDES PLAIDOIRIES DES TÉNORS DU BARREAU

QUAND LES MOTS PEUVENT TOUT CHANGER

MATTHIEU ARON

LES GRANDES PLAIDOIRIES DES TÉNORS DU BARREAU

QUAND LES MOTS PEUVENT TOUT CHANGER

POCKET

Note de l'éditeur de poche :
L'édition de cet ouvrage date de 2010.
Certains procès ont pu depuis faire l'objet de révisions.

Pocket, une marque d'Univers Poche,
est un éditeur qui s'engage pour la
préservation de son environnement et
qui utilise du papier fabriqué à partir
de bois provenant de forêts gérées de
manière responsable.

© Éditions Pocket, un département d'Univers Poche,
pour la présente édition

ISBN : 978-2-266-21668-5

Sommaire

Introduction

Ce jour-là, j'ai fermé mon carnet de notes.

Mᵉ Henri Leclerc plaidait et j'ai été emporté par une vague d'émotion. Un chroniqueur judiciaire, pourtant, ne pleure pas. Dans le prétoire, il est l'observateur. Celui qui, pour rendre compte, doit savoir rester au seuil des débats. Mais les mots de l'avocat ont balayé ma réserve. J'étais comme tétanisé. Alors, j'ai refermé mon carnet, posé mon stylo et j'ai juste écouté.

Le défenseur demandait pardon. Il ne demandait pas pardon aux victimes, à leurs familles ou à leurs enfants comme ses confrères le font souvent dans les cours d'assises. Non, il demandait pardon à l'accusé ! Pardon à Richard Roman que, nous, journalistes, avions bêtement surnommé « l'Indien », parce qu'il vivait sous une sorte de tipi, en dehors des villes. « L'Indien » donc, jeune homme fragile et immature, était accusé du pire des crimes : le viol et l'assassinat dans des conditions atroces d'une fillette de 7 ans. Henri Leclerc était profondément convaincu de son innocence. Il s'était appliqué durant les débats à annihiler les charges qui pesaient contre lui. Au point que le procureur lui-même avait abandonné l'accusation. Voilà pourquoi l'avocat exhortait l'institution judiciaire à s'excuser. Il implorait la miséricorde de Roman. Pour les humiliations subies en garde à vue, pour les longues années de détention, pour les souffrances infligées par des enquêteurs bornés, pour les articles de presse qui en avaient fait un monstre, pour une vie sans doute à jamais saccagée. Henri Leclerc plaidait l'acquittement, il l'obtint. Il dut ensuite quitter le palais de justice sous les hurlements et les crachats de la foule. Les badauds qui, pour la plupart, n'avaient pas assisté au procès, ne pouvaient pas comprendre. Ce fut la première plaidoirie qu'il m'ait été donné d'entendre. Ce fut le premier procès auquel j'assistais. C'était il y a dix-sept ans.

Depuis j'ai « chroniqué » à la radio, sur France Info et France Inter, bien des plaidoiries. Quand Luc Jacob-Duvernet m'a proposé d'en réunir et d'en présenter quelques-unes, j'ai été séduit par l'idée, même si le projet m'est apparu complexe. Les débats judiciaires, à de très rares exceptions – essentiellement lors des procès historiques –, ne sont pas enregistrés. Les caméras et les micros n'entrent jamais dans les salles d'audience. Les paroles, donc, s'effacent. Et il m'a fallu partir à la recherche de mots envolés. Pour les plaidoiries captées ou prises en sténographie, ce fut aisé. Pour d'autres beaucoup moins. Quelques avocats, heureusement, écrivent encore quasi intégralement leurs plaidoiries. Certains ont accepté de me les confier, je les en remercie. D'autres rédigent au moins une trame. En me reportant à mes propres notes d'audience, puis en les comparant à celles de mes confrères, je me suis livré à un travail de reconstitution, en essayant toujours de ne trahir ni le style, ni l'esprit des textes. Les puristes y trouveront peut-être à redire. Tant pis. Ensuite, il a fallu choisir. J'ai écarté les affaires trop complexes qui auraient nécessité une multitude de précisions techniques. J'ai, en priorité, retenu des procès auxquels j'avais assisté et je me suis tourné vers des avocats avec qui j'ai pu établir, année après année, des liens de confiance et dont je supposais qu'ils accepteraient de « jouer le jeu ». Cette sélection est loin d'être exhaustive. Bien des absents auraient mérité de figurer dans cet ouvrage. « Mériter » ? Le mot est mal choisi car il n'était justement pas question d'établir une sorte de palmarès. Forcément incomplet, forcément insatisfaisant, forcément injuste. Le barreau regorge de talents. Plusieurs volumes auraient été nécessaires pour tous les honorer. J'ai finalement obéi à deux critères. Les plaidoiries retenues devaient pouvoir évoquer l'ensemble du « paysage judiciaire » : affaires criminelles (du meurtre passionnel au terrorisme), affaires politiques, affaires historiques. Elles devaient aussi refléter la diversité du barreau. Je voulais des « grands anciens » et des « petits jeunes », des Parisiens et des provinciaux, les médiatiques et ceux qui le sont moins…

Restait une inconnue, la plaidoirie orale, prononcée souvent dans l'exaltation d'une audience, allait-elle résister à la froideur de l'écrit ? Il me semble que oui. Les textes, à la lecture, conservent une vraie force. Ils traduisent toute l'intensité du procès.

L'audience reste en effet un huis clos unique et les prétoires, des lieux de tragédie. Les avocats, comme les magistrats, en sont les acteurs. Acteurs, au vrai sens du terme. La plaidoirie est un art mais aussi une technique qui s'apprend. Selon l'un des orfèvres en la matière – Me Jean-Marc Varaut aujourd'hui disparu – « pour plaider, il ne suffit pas de parler comme on parle. Il ne suffit pas d'une voix, d'un timbre et de choses à dire. Il faut ordonner son discours ». L'avocat avait même théorisé un système d'argumentation, en quatre parties, basé sur les préceptes d'Aristote, Cicéron et Quintilien. Toute plaidoirie, disait-il, commence par l'exorde qui doit donner aux juges l'envie d'écouter. Vient ensuite la narration des faits qui présente sous un jour favorable l'objet du procès. Arrive en second lieu la discussion des preuves. Enfin, la péroraison conclut la plaidoirie, donnant, dit encore Jean-Marc Varaut, « les derniers coups de marteau ». Me Olivier Metzner, lui, préfère en appeler aux sciences dures plutôt qu'à la philosophie. « La plaidoirie est comme une construction mathématique. Elle doit être bâtie sur le principe d'un entonnoir. On part du plus général, de l'ensemble des accusations pour, à l'arrivée, n'offrir qu'une seule et unique solution. C'est une forme de géométrie assez subtile qui consiste en fait à simplifier la problématique. »

Inspirée de la rhétorique ou de la mathématique, cette conception de la plaidoirie, extrêmement codifiée, n'est pas partagée par tous les avocats. Certains plaident avant tout à l'instinct et à l'émotion. Ils veulent toucher le « cœur » ou les « tripes » des jurés. Rares sont pourtant aujourd'hui ceux qui se contentent d'effets de manches et ne « travaillent » pas leur dossier. Ils savent que le procès se joue aussi avant la plaidoirie, lors des débats. Et que jamais une belle envolée ne remplacera la maîtrise des faits. La plaidoirie n'est qu'une apothéose, plus ou moins réussie. Et toujours précédée d'angoisse. Qu'il penche plutôt pour la raison ou au contraire pour la passion, le « plaideur » s'avance souvent la peur au ventre. Mais aussi les forces décuplées par l'envie de gagner.

« Plaider c'est partir au combat », disent-ils presque tous. Quel que soit l'enjeu. Faire acquitter un innocent, obtenir quelques années de prison en moins, restaurer une dignité bafouée, réparer une blessure, aider à faire un deuil. Sculpter aussi sa propre statue. « L'ai-je bien défendu ? » semblent demander les avocats quand ils vont se rasseoir sur leur banc. L'*ego* des gens de robe est souvent démesuré. C'est leur moteur et leur bouclier. Il faut une bonne dose d'orgueil ou d'inconscience pour croire, qu'à la seule force de ses mots, on peut sauver le pire des assassins. Comme pour supporter les coups et l'ironie souvent cruelle de l'adversaire ou le regard désespéré de celui que l'on n'a pas réussi à faire sortir de prison.

Plaider, parfois, c'est aussi défendre une cause tout autant qu'un individu. L'Histoire s'écrit aussi dans les prétoires. Certes, la « République des avocats » a vécu. Au Parlement, les membres du barreau sont moins nombreux que sous la IIIe ou la IVe. Mais nombre de lois se sont écrites ou sont nées lors de grands procès. En 1976, en plaidant pour Patrick Henry et en obtenant des jurés de Troyes un verdict de clémence, Robert Badinter emporte une victoire décisive dans sa bataille acharnée contre la peine de mort, qu'il remportera définitivement en 1981, à l'Assemblée nationale. En 1972, à Bobigny, Gisèle Halimi met en accusation une France rétrograde et instruit le procès d'une loi obsolète qui empêche les femmes de disposer librement de leur corps. Deux ans plus tard, l'avortement devient légal. Plus récemment, dans les années 1990, le procès du sang contaminé a contribué à l'adoption du principe de précaution. D'autres grandes affaires ont fait évoluer la société. Le procès de Véronique Courjault, par exemple, a permis de lever le tabou du déni de grossesse. Ou alors elles ont servi de catharsis, de révélateur, de miroir grossissant aux maux de l'époque. Ainsi, à travers Jérôme Kerviel, le « trader qui valait cinq milliards », c'est aussi un système financier devenu fou qui a été convoqué à la barre. Dans chacun de ces procès, la plaidoirie de l'avocat est aussi là pour renvoyer au juré, au magistrat ou au public ses propres contradictions, pour questionner les certitudes établies, pour inviter à regarder dans la noirceur de l'accusé ou dans la douleur de la victime ce qu'il y a de commun à chacun d'entre nous.

Quand il dissèque les passions – haines, hontes, non-dits, humiliations, rêves inassouvis, jalousies morbides… –, l'avocat ressemble à une sorte de grand prêtre plongeant au cœur de l'humain, dans un rite immuable. Le procès a conservé à travers les âges un cérémonial inchangé. Comme il y a 2 000 ans, les accusateurs accusent, les défenseurs défendent et la procédure demeure orale. Est-ce parce qu'il n'a pas été affecté par la modernité que le prétoire garde toute sa puissance symbolique ? Ici, l'avocat, avec ses simples mots, et le magistrat, en s'appuyant sur le droit, possèdent un pouvoir extraordinaire : agir sur le destin des hommes. Dans un monde qui paraît de plus en plus hors contrôle, le procès semble le dernier lieu où l'humanité peut devenir lisible. Les avocats s'en font chaque jour les interprètes et leurs plaidoiries sont autant de modes d'emploi pour qui veut comprendre les multiples facettes de l'âme. Même les criminels ont à nous apprendre sur nous-mêmes. Les avocats le savent depuis longtemps. Quand je leur demandais quel était en définitive, pour eux, le sens profond de la plaidoirie, ils m'ont souvent fait des réponses presque identiques : « Ramener l'accusé dans la communauté des hommes, même si c'est un "monstre", même si c'est le pire des "salauds". » Les plaidoiries sont toujours un pari sur l'humanité et donc l'une des formes les plus achevées de l'humanisme.

LA PASSION À LA BARRE

Le procès de Véronique Courjault

Le 9 juin 2009, une jeune femme au regard doux, pâle, émue, l'air juvénile avec sa queue-de-cheval, prend place dans le box des accusés de la cour d'assises d'Indre-et-Loire. Véronique Courjault a 41 ans. Elle est jugée pour avoir tué trois bébés qu'elle venait de mettre au monde. Aux yeux de la justice, elle a commis trois assassinats et risque la réclusion criminelle à perpétuité. Depuis la découverte par son mari en 2006 de deux cadavres de nouveau-nés dans le congélateur familial en Corée, le public se passionne pour cette affaire. Au début, Véronique Courjault nie tout en bloc. Elle donne même, avec son époux Jean-Louis, une conférence de presse pour s'élever contre les « odieuses accusations » qui la visent. Et puis, confondue par des tests ADN, elle avoue devant des policiers médusés. Oui, elle a bien tué les deux bébés retrouvés dans le congélateur et elle reconnaît en avoir tué un troisième dont elle a brûlé le corps dans une cheminée.

Alors que s'ouvre son procès, la personnalité de cette jeune femme intrigue et fascine. Qui est Véronique Courjault, cette épouse d'ingénieur au regard soumis, cette mère de famille qui s'occupait si bien de ses deux autres enfants, Jules et Nicolas ? Un monstre ? Ou bien la victime d'un trouble encore mal défini que l'on appelle le déni de grossesse ? Tous ses proches défilent à la barre. Aucun d'entre eux, à commencer par son mari, ne s'est rendu compte qu'elle était enceinte, alors qu'ils l'ont vue pourtant plusieurs fois en maillot de bain durant sa grossesse. Peut-on ignorer que l'on attend un bébé ? Et si oui, Véronique a-t-elle vécu dans une dénégation absolue ou sa conscience était-elle juste altérée par intermittence ? Durant les deux semaines de procès, les jurés écoutent pas moins de 14 experts, médecins, psychologues, psychiatres, psychanalystes dont les avis divergent souvent. Les nombreux frères et sœurs de Véronique pleurent tous à la barre, regrettant de n'avoir pas compris et de n'avoir pas plus entouré celle qui aujourd'hui est figée dans le box. Jean-Louis, le mari, raconte l'histoire du couple : un premier enfant qui pleure beaucoup, la fatigue de Véronique et, lui, accaparé par sa carrière. Rien qui ne sorte de l'ordinaire. Pourtant, le président de la cour d'assises, Georges Domergue, voudrait tellement percer le secret de Véronique. Alors il questionne encore et encore, cherche dans l'enfance de l'accusée, la naissance difficile de l'une de ses sœurs, ses relations avec ses parents... Il tente de rationaliser. En vain. Les jurés ne parviendront pas, eux non plus, à élucider le mystère. Le procès de Véronique Courjault est le procès de l'indicible. Son avocat, Henri Leclerc, qui a lui aussi essayé de sonder sa cliente sans jamais y parvenir tout à fait, l'a compris. Il sait que pour la défendre, il doit s'extraire d'une forme de rationalité. Il ne pourra pas tout expliquer. Il ne pourra pas expliquer l'inexplicable. Il lui faut d'abord toucher le cœur des jurés. Et il va s'y employer avec toute l'énergie dont il est capable.

Henri Leclerc est un monument du barreau. Il plaide depuis plus d'un demi-siècle. Depuis ses premières armes dans les années 1950 devant la 23e chambre correctionnelle – celle des « flags » –, il a tout connu. Jusqu'à la défense de l'ancien Premier ministre, Dominique de Villepin. Aujourd'hui, à 76 ans, il a gardé le feu sacré et un idéal intact. « Plaider c'est rechercher la fraternité, dit-il. Les mots doivent rendre à l'accusé sa dimension humaine. » Mais la fraternité n'empêche pas le combat. Henri Leclerc, il ne s'en est jamais caché, est aussi un militant. Il a traversé toutes les luttes. Avocat du « mouvement » en 1968, des luttes paysannes dans les années 1970, des indépendantistes haïtiens, bretons, guadeloupéens, il a créé un cabinet, « Ornano », qui révolutionne la profession, le premier cabinet à vocation sociale (droit des étrangers, syndical, etc.). Son ambition : « rendre la justice accessible au peuple ». Généreux, brouillon, touche-à-tout, mais avant tout profondément humaniste, Henri Leclerc est aussi l'avocat qui traque les erreurs judiciaires. En 1988, il prend la défense de Richard Roman, un marginal accusé d'avoir violé et tué la petite Céline, à la Motte-du-Caire. « J'ai vécu quatre ans et demi hanté jour et nuit par Richard Roman. » Profondément convaincu de son innocence, il la clame haut et fort contre l'opinion locale chauffée à blanc et reçoit des petits cercueils à son cabinet. Lors d'une reconstitution, dans le village de la fillette assassinée, il échappe de peu au lynchage. Finalement, après un procès bouleversant – où même l'avocat général abandonnera l'accusation – il obtient un acquittement. « Je veux faire aimer l'accusé, explique Henri Leclerc. Ou au moins éviter que l'on le déteste. C'est ainsi que je deviens l'accusé lui-même. » Même dans les atmosphères les plus haineuses, le vieux lion des prétoires réussit à envelopper la salle de ses rondeurs. Il ne plaide pas. Il parle. Il parle au juge comme s'il parlait à un ami, en lui confiant ses certitudes, ses doutes, ses interrogations. Il ne prononce ni discours, ni homélie grandiloquente, il converse simplement, et établit malgré tout ce « lien sacré » avec les jurés qui peut faire basculer un procès.

PLAIDOIRIE PRONONCÉE PAR HENRI LECLERC,
AVOCAT DE VÉRONIQUE COURJAULT, LE 18 JUIN 2009,
DEVANT LA COUR D'ASSISES DE L'INDRE-ET-LOIRE.

« Monsieur le président, Mesdames de la cour, Mesdames et Messieurs les jurés,

Maintenant, il faut que vous m'écoutiez parce que vous allez tout à l'heure prendre une décision grave. Elle est grave pour la justice. Elle est grave, bien sûr, pour Véronique Courjault. Elle est grave pour ses enfants, pour son mari, et, elle est grave enfin pour notre société. Cette société, par la voix de son représentant, a requis une condamnation au terme d'un discours implacable dont mes deux consœurs Nathalie Sényk et Hélène Delhommais viennent de vous démontrer les insuffisances. Vous réclamez une peine lourde, Monsieur l'avocat général, il va nous falloir voir si elle est juste.

Cette affaire a passionné l'opinion publique et la presse nous a envahis. Certes, l'opinion publique n'a en principe rien à faire dans nos audiences et, croyez-le bien, l'avocat que je suis préférerait que ce procès se passe entre nous. Mais finalement je crois que c'est bien ainsi, car votre jugement, c'est vrai, aura son importance pour l'opinion. Pour autant, si vous le voulez bien, oublions l'extérieur, faisons comme si nous étions entre nous, vous et moi. Nous allons nous parler un moment, nous allons essayer de comprendre et de réfléchir. Je vous l'ai dit dès le premier jour – et je n'ai jamais changé d'avis – je ne vous demanderai pas d'acquitter Véronique Courjault. Vous allez donc prononcer une condamnation. Il le faut, y compris pour Véronique. Ce que je vous demande c'est que cette condamnation soit porteuse non de désespoir, mais d'espoir.

Depuis dix mois, avec Nathalie Sényk, nous allons voir Véronique Courjault. Ces dix-huit mois, nous les avons vécus avec elle. Nathalie Sényk surtout, car c'est difficile pour un homme de parler d'une question, aussi évidemment, aussi totalement féminine : le rapport à son corps et à son enfant. Que nous sommes maladroits, nous les hommes, pour aborder ces sujets…

Avant tout, je voudrais vous dire quelque chose pour qu'il n'y ait pas d'équivoque : depuis dix-huit mois, je vis avec l'image de ces bébés, comme vous d'ailleurs depuis le début de ce procès. Parce que ces bébés, ce sont les vôtres, Véronique, mais ce sont les nôtres aussi ! Nous les avons tous vus, les femmes bien sûr, parce que des bébés sont sortis de leurs entrailles, mais nous, nous les hommes, les avons aussi vus. Je pense à ces bébés naissants, leurs petits poings serrés, leurs yeux encore fermés mais dont on sait que, peu de temps après, ils seront entrouverts par un trait de lumière. Les bébés à la peau si fripée. Comment est-ce possible ? Nous les aimons tant. Il y a là d'un seul coup tant de vie. Brusquement un être humain, et pourtant si peu de chose, si petit mais déjà si homme. Et moi, je les vois, ces bébés morts. Et j'en suis profondément ému. Vous imaginez peut-être que nous ne pensons pas à ces bébés. Non, ces bébés sont morts et c'est horrible. Ces bébés sont morts et ils ont été tués par leur mère. Certes, elle ne le savait pas, elle, que c'était des bébés, ses bébés, et moi, je la crois. Je la crois profondément quand elle dit "pour moi ce n'étaient pas des êtres". Oui, je la crois au moment où elle dit cela. Je pense à ces bébés, à leur mère, à ce moment terrible, à cette femme seule dans sa baignoire, accouchant. Enfin quoi, nous savons tous ce qu'est un accouchement. À quel point c'est dur. Toux ceux qui ont vu naître leur enfant s'en souviennent. Je pense au moment de souffrance physique et psychique épouvantable de cette mère qui accouche, toute seule sans sage-femme, sans médecin, sans matrone, sans personne. Elle a oublié aujourd'hui la douleur. Elle se souvient juste d'un passage dans son corps et de sa main sur un visage.

Et je me pose bien des questions. D'abord, quand elle accouche, dans quel état est-elle ? Nous avons entendu de nombreux experts. Le docteur Bensussan parle d'un état de sidération. Sidération ! Le docteur Nisand évoque une "souffrance physique et une souffrance psychique intolérable". Claude Halmos dit que Véronique Courjault était dans l'angoisse la plus totale, si "tétanisée", dans une situation tellement insupportable, que cela ressemblait à une "hallucination". Oui, oui, cette femme a souffert. Et elle souffre toujours. Je veux bien tout entendre… mais je suis sûr d'une chose : cette femme n'est pas un monstre. Cette femme est une femme sensible, douce, fragile, aimant ses enfants, aimée de tous ses amis. Nathalie Sényk vous le rappelait tout à l'heure, tous ceux qui sont venus à la barre sont sidérés, eux aussi, comme nous le sommes nous-mêmes par le crime qu'elle a commis. Tous s'effrayent, tous répètent : ce n'est pas possible. Mais tous l'ont accepté. Parce qu'ils savent bien que cela a existé. Alors pourquoi pensez-vous que tous ses amis l'aiment toujours autant ? Vous me direz : c'est le propre de l'amitié. Permettez-moi de vous répondre, vieil avocat que je suis, que j'en ai vu des accusés en cour d'assises délaissés par tous ceux qui étaient autour d'eux – rarement par leur famille proche, heureusement qu'il y a des liens qui ne s'effacent pas – mais les autres… les amis ? Ils sont là aujourd'hui. Ils sont venus parce qu'ils l'aiment, comme ses enfants l'aiment, comme son mari l'aime. Pourquoi donc, pourquoi donc aimons-nous une femme qui a fait une chose pareille ? Pourquoi Nathalie Sényk est-elle aussi bouleversée quand elle en parle et pourquoi moi-même je suis touché chaque fois que je la rencontre, profondément ému ? Allons, c'est bien sûr qu'elle n'est pas un monstre. Non. Même monsieur l'avocat général l'a dit hier : "Je ne veux pas qu'on en fasse un monstre." Mais il craint que nous en fassions une icône. Rassurez-vous, Monsieur l'avocat général, pas moi. Je ne vous dirai pas qu'il faut en faire une icône. Je dis simplement que c'est une femme qui souffre, qu'il faut essayer de comprendre ce qu'elle a fait, qu'il vous faut essayer de comprendre, parce que vous allez être obligés tout à l'heure de la juger. Ah ! Monsieur l'avocat général, vous parliez hier "de l'immense difficulté qu'il y a à rendre une justice qui soit juste, éclairée et équitable". Une justice éclairée, c'est ce que nous souhaitons tous, mais est-ce simplement possible ?

Nous touchons ici à l'incompréhensible. Nous aimerions tous que, vous les juges, vous soyez en mesure de juger sur une explication absolue ! Mais j'entends les experts les plus éminents qui répètent : "Nous sommes incertains, nous ne savons pas exactement ce qui se passe, nous n'arrivons pas à comprendre ces mécanismes." Et je me dis : "Vous, vous allez bien être obligés de dire quelque chose. Vous allez être obligés de rendre une décision, de prononcer une peine."

Alors tentons d'avancer ensemble. Écoutons Claude Halmos. C'est une psychanalyste. Je ne l'ai pas caché, je la connais depuis longtemps. Je l'ai fait venir d'abord parce que j'avais besoin de comprendre, car j'avais beau lire les rapports d'expertises, j'avais beau m'adresser à des psychiatres, je ne comprenais pas et Claude Halmos me disait "je veux bien t'aider mais encore faut-il que je la voie". Et là je remercie Monsieur l'avocat général de lui avoir permis de rencontrer Véronique Courjault en prison… Qu'est-ce qu'elle vous a dit, Claude Halmos, quand elle est venue devant la cour ? Qu'au moment où Véronique accouche, elle ne décide de rien. On ne peut même pas dire qu'elle veut que cet enfant disparaisse puisque cet être n'est même pas pour elle, à ce moment-là, un enfant. Vous me direz : "Claude Halmos, c'est votre témoin." Mais l'expert officiel, le docteur Bensussan, l'a exprimé de façon tout aussi claire : "Ce qui s'est passé, elle ne l'a pas voulu." Et pourtant vous avez bien vu qu'il ne lui était guère *a priori* favorable. Oui, il a dit que ce qui s'est passé, "elle ne l'a pas voulu". Le docteur Masson, lui, a évoqué un "clivage du moi" auquel il reconnaît une part d'inconscient.

La différence entre le déni de grossesse et le clivage est subtile. Claude Halmos vous l'a expliquée : "Le clivage, c'est un moyen de défense que le psychisme vient mettre en place quand il est menacé." Cette menace, pour la comprendre, le docteur Dubec nous donne un exemple : "C'est comme une centrale électrique. Lorsqu'il y a une surcharge, la centrale saute si l'on ne met pas de côté ce qui la provoque." Le docteur Dubec vous a aussi expliqué comment l'esprit se sépare en deux d'une certaine façon : d'un côté, il y a l'esprit conscient et de l'autre ce qui demeure au fond de l'inconscient, ce que l'on rejette et dont on ne veut plus entendre parler. Cela va du "refoulement" jusqu'au "déni" en passant par la "dénégation". Et il existe un dégradé entre la dénégation et le déni total.

On nous réplique alors que nous sommes face à un déni "qui ne serait pas total" » : la malheureuse "savait", puisqu'elle avait eu des "intuitions de sa grossesse". Le savait-elle ? Cela se voyait-il ? Personne ne vient dire que cela se voyait. Il y a une somme de témoignages. Des témoignages irréfutables. Dans les mois qui précèdent son accouchement, elle se met en maillot de bain devant une dizaine de personnes et personne ne s'aperçoit qu'elle est enceinte. C'est bien la preuve que nous sommes devant un fait exceptionnel ! Nous avons appris à l'audience ce que sont les conséquences physiques de la dénégation et du déni : la dénégation comme le déni font que les modifications corporelles de la femme enceinte peuvent ne pas se voir. Il pourrait donc s'agir d'une dénégation. Mais est-ce que nous sommes sûrs pour autant que ce n'est pas un déni ? Que dit le docteur Bensussan à ce sujet ? "Les arguments étaient plus nombreux en faveur de la dénégation qu'en faveur du déni." Dans cette affaire, reconnaissons-le, les experts hésitent, la science balbutie.

Si nous avions la certitude d'un déni, je plaiderais l'acquittement puisque, dans un déni complet, il n'y a absolument aucune conscience. J'ai dit que je ne le ferai pas. Car là, nous avons des moments où, de temps en temps, Véronique a eu conscience d'être enceinte… Les médecins nous expliquent que le déni absolu n'a pas lieu dans tous les cas, qu'il peut y avoir des éléments de conscience intermittents. Ils ont tous employé la même expression : "On ne sait pas." Effectivement, on ne sait pas ! On se trouve face à un phénomène extraordinaire : une femme enceinte qui ne voit pas qu'elle est enceinte. Bien sûr, elle peut avoir simulé. Oui, mais quand elle dit : "Jules et Nicolas je leur parlais, ceux-là, je ne leur parlais pas", croyez-vous que ce soit quelque chose que l'on invente ? Alors ce n'était peut-être pas un déni, c'était peut-être une dénégation, qui le sait ? Dans la page 10 de son rapport, Monsieur Masson écrit à huit reprises le mot « peut-être ». Il vous l'a dit très honnêtement "les certitudes, nous aurons du mal à en avoir". Vous, Mesdames et Messieurs les jurés, il va vous falloir juger avec cette incertitude.

Ah, dira-t-on, mais Véronique Courjault a évolué dans le temps, elle a préparé sa défense. Qu'est-ce que vous croyez qu'est le travail d'un avocat ? Moi, j'ai toujours considéré que le métier d'avocat – certains vont rire je crois, mais ce ne sera pas ceux qui me connaissent – j'ai toujours considéré que le métier d'avocat était une collaboration à la vérité, certes difficile quelquefois. Mais souvent c'est nous qui avons raison. Parce que nous apportons un autre regard. Nous ne cherchons pas à tromper la justice de notre pays et moi personnellement, je me dis que, si un jour je rencontre – ce que j'aimerais bien, même si je n'y crois guère – le bon saint Yves, patron des avocats, je lui dirais : "Oh certes, j'ai sans doute commis des erreurs et des fautes dans ma vie d'avocat", mais je pourrais affronter son regard facilement. Nous ne cherchons pas à vous tromper. Je sais que c'est difficile de vous convaincre de cela, je sais que chaque fois les jurés pensent : "C'est des avocats tout ça…". Non, nous ne cherchons pas à vous tromper. Mais, oui, nous cherchons à nous approcher de la vérité et peut-être à éclairer les faits d'une façon différente. Mais ici on est effectivement à la limite du mur. Alors vous êtes tenus par la loi d'en tenir compte dans votre décision et c'est là que je vais vous parler de la peine.

Vous allez punir Véronique Courjault, vous et vous seuls ! Je suis d'accord, on va la punir. Il ne faut pas qu'on dise en France : "On peut tuer ses enfants." Mais, croyez-vous qu'elle représente un danger ? Le croyez-vous vraiment ? Certes, nous avons entendu ceux qui défendent l'enfance maltraitée – et il est juste qu'ils la défendent – mais je dirai, qu'ici, c'est un peu inadapté. Personne ne revendique un seul instant le droit de tuer des bébés !

Véronique, depuis dix-huit mois, fait des progrès. Elle refait le chemin. Elle le refait difficilement. Pas à pas, elle déchire des brumes effroyables. Comment s'est-elle retrouvée plongée dans ce brouillard ? Je ne sais pas ! Est-ce en raison de difficultés familiales ? Tous les experts parlent d'une origine lointaine. Que m'importe ! Sa mère, elle n'est pas responsable, son père non plus. Qu'on cesse de laisser planer le doute sur ces gens, comme s'ils étaient les inspirateurs de cette horreur. Cet homme et cette femme qui ont eu sept enfants, qui ont travaillé comme des fous ! Vous avez vu les mains de cet homme ? On dirait des ceps de vigne. Oui, tout n'était pas facile et peut-être que, dans l'enfance de Véronique, il s'est passé quelque chose. Peut-être, mais de toute façon, ses parents n'en sont pas responsables eux non plus.

Et surtout, Véronique, elle avance, elle avance ! Elle n'est pas dangereuse, cette femme ! Elle n'est pas dangereuse ! Pour la punir, il faut d'abord juger sa part de liberté. Mais aussi des circonstances. Ah, vous me voyez venir, je vais parler des enfants, Jules et Nicolas. Et pourquoi je n'en parlerais pas des enfants ? Et pourquoi ne dirais-je pas que dans cette absurdité, dans cette horreur, il y a cette contradiction. Certes vous avez certainement envie de punir la mort des bébés. C'est tellement insupportable. Même si hélas, il y en a d'autres qui meurent dans le monde. De faim ou le crâne fracassé dans des guerres civiles. Oui, les bébés morts ça nous est toujours insupportable et ces bébés-là comme les autres. Ils nous sont insupportables mais le problème de demain, ce n'est pas le bébé, il est mort le bébé, le problème c'est cette femme et ses enfants. Ces enfants, ils nous disent quelque chose, Nicolas en particulier. Ils ne comprennent pas, ils s'interrogent, mais ils continuent à aimer maman parce que maman les aime. C'est vrai. Je ne sais plus quel expert m'a repris quand j'ai dit que c'était une femme admirable. Il m'a dit : "Non, c'est une bonne mère." Mais une bonne mère, n'est-ce pas une femme admirable ? C'est évident. Et elle les aime tout simplement. Elle les voit actuellement une fois par mois. Nicolas a dit "maman elle est malade". Oui, tu as raison Nicolas, ta maman était malade. Oh ! certes, elle n'était pas atteinte d'une maladie mortelle, ni d'un mal qui faisait que sa raison n'existait plus. Mais tu as raison Nicolas, ta maman était malade. Il faut que tu te le dises. Il faut que vous vous le disiez aussi. Il faut que, vous, vous disiez à Véronique Courjault : "Ce que vous avez fait est horrible. En tant qu'être humain, nous ne pouvons pas le supporter, mais aussi parce que nous sommes des êtres humains, nous savons comprendre qu'il y a quelque chose chez vous de fragile, de faible, de désespéré." Elle essaie de comprendre elle aussi. S'il y avait une seule chose pour laquelle elle vous supplie-rait, ce serait pour vous demander : "Laissez-moi revoir mes enfants." Bien sûr, les enfants aussi, s'ils étaient là, vous supplieraient.

Qu'est-ce que ça change qu'elle reste en prison ? Quel est l'intérêt pour notre société ? Nous le savons, le prix de la vie, nous le savons, le prix de la vie d'un bébé, cela ne changera rien. Celle que vous avez à condamner est certes cette femme déchirée, mais c'est aussi un peu les enfants qui attendent ce soir, qui attendent pour savoir ce qui va se passer et qui voudraient qu'elle sorte. Ça vous paraît exagéré, peut-être. Non ! Je voudrais qu'elle sorte. Qu'est-ce que vous avez à craindre ? Elle n'est pas dangereuse. Ça peut paraître absurde, mais c'est vrai qu'il me faut vous dire aussi ça : elle n'aura plus de bébé… Il faut qu'elle se reconstruise, avec ses enfants Jules et Nicolas. Nous savons bien que les thérapies que l'on fait en prison ne sont pas de bonnes thérapies. En prison, on ne peut pas faire ce travail approfondi, difficile, long, dont elle a besoin pour achever de dissiper ses brumes. Cette analyse, il faudra qu'elle la fasse dehors. Alors pourquoi différer plus longtemps ? Pour le symbole, parce que cette affaire a envahi le champ médiatique et qu'il faut répondre à ce champ médiatique ? Ce n'est pas Véronique qui est allée chercher les médias. Le film qui est sorti, ce n'est pas elle qui l'a voulu.

Oui, elle a donné la mort. Mais hier dans la dernière réponse qu'elle faisait à Nathalie Sényk, elle vous a dit simplement – peut-être n'avez-vous pas été touchés, vous ; nous, nous avons été bouleversés – : "J'ai tué mes enfants, je le sais." Elle l'accepte donc. Aujourd'hui, je me dis : mais qu'est-ce que je peux vous proposer comme peine ? Je vous dis : je voudrais qu'elle sorte. Ah, on peut faire des calculs savants, il va y avoir la conditionnelle. Elle ne ferait que la moitié de la peine. Écoutez, la loi change sur ce sujet selon les moments. J'ai vu des gens qui espéraient des remises de peine importantes et qui ne les ont pas eues. Et je me souviens en particulier d'une personne condamnée après un décompte savant de l'avocat général, disant il y aura des grâces présidentielles, il y aura ceci, cela. Condamnez à 20 ans, expliquait-il, au total il n'en restera que 10. Cela fait 15 ans que cette personne est en prison ! Bon ! Pas facile tout ça. Qu'est-ce que je peux vous proposer ? Par exemple de lui infliger une peine avec sursis mise à l'épreuve. 5 ans maximum puisqu'elle n'est pas en récidive, 5 ans maximum avec une partie sursis mise à l'épreuve, c'est bien ça que j'aurai envie de vous proposer, mais je vais vous proposer autre chose. Vous pouvez considérer au fond de vous-mêmes que, peut-être, Monsieur l'avocat général n'a pas demandé beaucoup. Si, il a demandé trop ! Nous sommes devant une affaire exceptionnelle, une affaire hors du commun. Cette femme a souffert comme aucune femme n'a souffert. Elle souffre encore à chaque instant. Cette souffrance, celle que nous voyons sur son visage, tout cela je le dépose devant vous. Parce que vous pouvez faire quelque chose. Depuis 2004, le Code pénal a changé. Il vous est possible, en matière de meurtre, de condamner à ce qu'on appelle un suivi socio-judiciaire. Cela veut dire que vous la condamnez à de la prison, mais en réduisant considérablement la durée de la peine et en disant : "Attention madame, vous êtes malade, vous êtes fragile, et nous vous imposons pendant quelques années de vous faire suivre régulièrement. Si vous ne le faites pas, Madame, vous allez en prison." Au moins, voyez-vous, elle pourrait sortir, sortir le plus vite possible. Ah, je voudrais même qu'elle sorte ce soir. Je vous demande l'impossible ! J'ai tellement demandé l'impossible aux juges et aux jurés. Je ne l'ai pas toujours eu mais je l'ai eu quelquefois. Je vous demande l'impossible parce que l'impossible me paraît juste tout simplement. Juste pour elle, juste pour Jules et Nicolas. On leur permettrait de se reconstruire avec leur maman, on permettrait à leur maman de continuer à déchirer ses brumes et à devenir une femme simplement, aux côtés de son mari, en portant au fond d'elle-même jusqu'à la fin de ses jours, le poids terrible de ce dont elle prend conscience, jour après jour, petit à petit. Elle ne clive plus. Il lui faut maintenant accepter la vérité : vous avez tué vos enfants, Véronique, acceptez-le, portez-le et allez maintenant retrouver les autres. »

VERDICT :

Le 18 juin 2009, la cour d'assises d'Indre-et-Loire a condamné Véronique Courjault à 8 années de prison. Une peine mesurée. La cour l'a reconnue coupable de meurtre pour un bébé et d'assassinat pour les deux autres, en considérant qu'elle avait agi avec préméditation. Elle a bénéficié d'une mesure de libération conditionnelle le 17 mai 2010. Au total – et en comptant sa détention provisoire – Véronique Courjault, qui a suivi une thérapie poussée en prison et qui a bénéficié de réductions de peines, aura passé un peu moins de 4 années derrière les barreaux.

Le procès de Christian Ranucci

Marseille, 28 juillet 1976. Il est 4 h 13 du matin. Une lame d'acier de 70 kg s'abat sur la nuque du supplicié. Sa tête tombe dans une malle de sciure. Christian Ranucci est mort. Il avait 22 ans. Quarante-huit heures plus tôt, dans sa cellule de la prison des Baumettes, le jeune homme lisait – sans le savoir – son dernier livre, *Les Rêveries du promeneur solitaire* de Jean-Jacques Rousseau. Christian Ranucci est alors persuadé qu'il va rester en vie. Les radios viennent de l'annoncer dans des flashs spéciaux : le président de la République lui a accordé la grâce présidentielle. Sa mère, elle, découvre l'information à la télévision, en regardant FR3 Marseille, et se précipite folle de joie au cabinet de Paul Lombard. L'avocat, désemparé, doit lui expliquer qu'il s'agit d'une erreur. Valéry Giscard d'Estaing n'a pas signé la grâce et il ne la signera pas. Deux jours plus tard, Christian Ranucci est conduit devant la guillotine et à 5 heures du matin un surveillant scotche sur la porte de la prison le procès-verbal relatant son exécution. Paul Lombard, qui a assisté son client jusqu'à son dernier souffle, sort livide et tremblant de la maison d'arrêt. Il vient de vivre « la journée la plus atroce de sa vie ». Un cauchemar qui n'a jamais cessé de le hanter. Trente-quatre ans ont passé lorsqu'il nous reçoit dans son appartement parisien proche du jardin du Luxembourg. Lorsqu'il évoque le souvenir de ce « terrible échec », il baisse insensiblement la voix : « Je me souviens des bruits horribles qui brusquement viennent saigner le silence. Un premier bruit sourd : c'est le corps du supplicié que l'on met en place. Un second bruit de catastrophe : c'est le couteau qui s'abat. Et puis le dernier bruit : celui du seau d'eau que l'on lance sur la machine pour laver le sang d'un jeune homme. » L'avocat n'a pas non plus oublié « l'odeur de mort » qui a entouré le procès de Christian Ranucci. Le 9 mars 1976, l'accusé comparaît pour le meurtre de Maria Dolorès Rambla, une petite fille de 8 ans enlevée dans une cité marseillaise et découverte, deux jours plus tard, poignardée près d'une route d'Aix-en-Provence. Christian Ranucci a été arrêté après avoir pris la fuite à la suite d'un accident de voiture qui s'est produit à proximité des lieux du crime. Un couple d'automobilistes délivre un témoignage accablant contre lui. Les Aubert sont convaincus de l'avoir aperçu en train de s'enfuir avec la fillette. Après vingt heures d'interrogatoire, le jeune homme passe aux aveux. Par la suite, il ne cesse de se rétracter mais la machine judiciaire est en marche. À l'ouverture des débats, le pays est en ébullition, traumatisé par un autre fait divers : Patrick Henry, le meurtrier d'un petit garçon à Troyes, vient d'être interpellé quatre jours plus tôt. « À mort ! » crie l'opinion publique. Les médias ne sont pas en reste. Alors qu'il commente en direct à la télévision un reportage sur Patrick Henry, le présentateur Yves Mourousi s'exclame « Salaud : c'est le mot qui a été employé. Et vous venez d'en voir un sur votre écran ! ». Son confrère Roger Gicquel ouvre le journal de 20 heures de TF1 par sa désormais célèbre formule « La France a peur ! ». Le journal *Le Petit Parisien* effectue une enquête auprès de ses lecteurs : plus de 90 % d'entre eux (sur un échantillon de 80 000) sont favorables à la peine de mort pour les assassins d'enfants. C'est dans ce climat de haine et de fureur collective qu'est jugé Christian Ranucci. Les audiences vont durer deux jours, dans une salle surchauffée, « une véritable étuve », se souvient Paul Lombard. L'avocat, alors âgé de 49 ans, a déjà une belle carrière derrière lui – il s'est notamment illustré dans l'affaire de Bruay-en-Artois – mais l'« épouvantable » procès Ranucci le marquera à jamais. D'emblée, son client se met à dos les jurés. Froid, distant, voire arrogant, il conteste des détails mineurs et s'enferme dans une attitude suicidaire. En face, les parents de la petite Maria Dolorès ont choisi pour les représenter un jeune avocat talentueux, Gilbert Collard, qui ferme toutes les brèches ouvertes par la défense. L'avocat général Viala, dans un réquisitoire magistral, achève de les refermer. Et comme si cela ne suffisait pas, au moment où il se lève pour plaider, Paul Lombard, tétanisé par la chaleur, le visage d'une pâleur absolue, submergé par l'angoisse, est frappé par une extinction de voix. La situation aurait pu tourner au ridicule si l'avocat n'avait pas su utiliser le peu de voix qui lui restait pour atteindre au tragique. Durant trois heures, comme un forcené, il plaide l'acquittement et se bat contre sa vieille ennemie : la mort.

PLAIDOIRIE PRONONCÉE PAR PAUL LOMBARD,
AVOCAT DE CHRISTIAN RANUCCI, LE 10 MARS 1976,
DEVANT LA COUR D'ASSISES DES BOUCHES-DU-RHÔNE.

« Mesdames et Messieurs les jurés,
En cet instant où je prends la parole pour Christian Ranucci, j'ai dans cette enceinte de justice face à moi

trois adversaires. Vous, Maître Collard, qui avez su avec une belle humanité prêter votre voix aux parents de la petite Maria Dolorès, vous Monsieur l'avocat général qui avez prononcé l'un des meilleurs réquisitoires que j'aie eu à entendre de toute ma carrière, mais mon plus redoutable adversaire, c'est vous-même, Ranucci ! Vous qui êtes incapable d'inspirer la sympathie aux autres avec vos yeux de poisson mort ! Vous qu'on avait envie de comprendre quand vous êtes entré pour la première fois dans cette salle, mais dont l'attitude a fait qu'ensuite on a eu envie de vous haïr. Un innocent, il crie, il hurle, il se débat, il n'accepte pas le destin. Vous, vous vous êtes montré froid comme un iceberg, impassible, comme étranger à nos débats. Imbécile !

Mais Mesdames et Messieurs les jurés, ne vous fiez pas aux apparences. Juger sur les apparences, c'est se faire le bourreau ! Juger en fonction de l'attitude qu'il a manifestée, ce serait oublier de juger.

N'écoutez pas non plus la rumeur ignoble. N'écoutez pas l'opinion publique qui frappe à la porte de cette salle. Elle est une prostituée qui tire le juge par la manche, il faut la chasser de nos prétoires, car, lorsqu'elle entre par une porte, la justice sort par l'autre. Je n'ai rien à faire de l'opinion publique. Je ne suis pas un signataire de pétitions humanitaires. Je ne suis pas un militant. Je suis un homme. Et en tant que tel, je hais la peine de mort. Je ne serai jamais aux côtés de ceux qui la réclament, de ceux qui la donnent, jamais je ne serai aux côtés du guillotineur.

Et pourtant, par la voix de Monsieur l'avocat général, cette salle vient de renvoyer l'écho de la peine de mort. Comme vous l'a dit mon confrère Jean-François Le Forsonney, nous avons frémi, nous sommes épouvantés par ce qu'on vient de demander. Il s'agit de décider si cet homme de 20 ans doit vivre ou mourir, et nous voici donc face à la vieille ennemie : la peine de mort. Et cela alors que des événements récents nous ont fait perdre la raison. Oui, depuis un mois, depuis l'interpellation à Troyes du meurtrier présumé du petit Philippe Bertrand, notre pays a succombé à l'hystérie collective. Je vous demande de résister à ce vent de folie. Car, si vous accordiez la peine capitale, vous feriez reculer la civilisation de cinquante ans. En donnant la mort à Ranucci, vous rouvririez les portes de la barbarie, vous grossiriez le tombereau sanglant des erreurs judiciaires, vous deviendriez bourreau, vous céderiez à la colère, à la peur, à la panique. Mais je le sais : vous ne ferez pas cela !

Non, vous ne ferez pas cela, car Christian Ranucci est innocent du crime dont il est accusé. Je plaide non coupable. Oui, je le sais – et Monsieur l'avocat général vous l'a longuement rappelé – Christian Ranucci a d'abord avoué. Eh bien moi, je dis qu'au moment où il a avoué, cet homme n'était pas en possession de toutes ses facultés. Qu'on me comprenne bien : je plaide l'irresponsabilité, non pas pour le crime que Ranucci n'a pas commis, mais pour expliquer les aveux qu'il a passés. Que l'on me comprenne bien encore, je ne suis pas ici en train de dénoncer le travail des enquêteurs. Je suis contre ceux qui attaquent systématiquement la police : elle fait un métier difficile. Aussi ne dirai-je rien des méthodes employées. Mais j'affirme que les aveux de Ranucci s'expliquent par son état psychique et qu'ils sont en contradiction avec les faits. Peut-on simplement imaginer le traumatisme qu'a vécu ce garçon ? Le choc absolu qu'il a subi à l'instant où il se voit accusé du pire des crimes ? L'abîme dans lequel il est plongé ? Son désarroi profond ? Sa totale solitude ? Alors, oui, ce garçon fragile a craqué. Oui, ses nerfs ont lâché. Et, oui, à cet instant devenu irresponsable, il a fini par reconnaître tout ce qu'on a voulu lui faire dire. Il n'est pas le seul à avoir avoué un crime qu'il n'a pas commis. Sachez, Mesdames et Messieurs les jurés que les précédents sont nombreux, hélas. C'est Jean-Marie Deveaux qui avoue à Lyon le meurtre d'une fillette et que l'on condamne avant de le réhabiliter. C'est plus près de nous encore, le jeune Jean-Pierre qui s'accuse du crime de Bruay-en-Artois et dont on découvre ensuite qu'il a affabulé. Dans les deux cas, il s'agit de jeunes gens, comme Ranucci, abandonnés, seuls, incapables de résister à la pression psychologique exercée par des policiers expérimentés et convaincus de leur culpabilité. Mais l'aveu n'est pas une preuve en droit français. L'aveu, c'est au contraire le fil d'Ariane de l'erreur judiciaire, c'est sa fusée porteuse ! Alors non, Monsieur l'avocat général, je ne peux pas vous laisser dire qu'il est impossible de plaider tout à la fois l'innocence et la folie. Si, on le peut. Si, il est possible d'être innocent des faits que l'on vous reproche puis de devenir fou à l'instant où, dans un état de trouble profond, on avoue les avoir commis. L'accusation s'appuie sur le rapport des experts psychiatres. Nous, avocats, nous savons la valeur toute relative qu'il faut accorder à ces expertises. Et rarement je n'ai vu de rapport aussi partial. Je vous le dis, ce rapport travestit la personnalité de Christian Ranucci. Ces proches le décrivent, eux, comme un garçon calme, correct, doux et affectueux envers les enfants que gardait sa mère. Que l'on nous explique alors comment il aurait pu soudain se transformer en gibier d'échafaud !

Pour Christian Ranucci, je réclame donc l'acquittement pur et simple parce que ses aveux ont été acquis de façon équivoque, parce que les expertises ont été faites de façon partisane, mais d'abord parce que le dossier est fragile et comporte d'immenses lacunes.

Que penser de la déposition du couple Aubert ? Ce sont les témoins clefs de l'accusation. Et pourtant ce couple d'automobilistes n'a cessé de varier au fil de ses déclarations. Leur témoignage est tout simplement ahurissant et farci d'incohérences et d'impossibilités. Les Aubert évoquent en premier lieu un jeune homme avec un paquet entre les bras. Puis, au fur et à mesure de leurs interrogatoires, ils fluctuent, pour finalement décrire une petite fille en short blanc qui pose des questions à celui qui l'entraîne. Comment un tel témoignage peut-il être retenu ? Je m'étonne également que la police ait recherché pendant deux heures le couteau sur les lieux du crime avec un détecteur magnétique. Pourquoi le commissaire Alessandra n'a-t-il pas conduit Ranucci sur place alors qu'il venait de passer des aveux, comme l'aurait fait n'importe quel autre policier dans une situation identique ? On aurait bien vu alors si Ranucci était capable de désigner l'endroit où se trouvait l'arme du crime. Je m'étonne aussi de l'incohérence chronologique qui apparaît dans les procès-verbaux de mise sous scellé. Je m'étonne encore que l'accusation puisse accorder le moindre crédit à la présence de sang sur le pantalon bleu que portait Ranucci puisque le sang dont il est souillé peut fort bien provenir d'une plaie à sa jambe comme l'atteste un certificat médical. Je m'étonne encore du comportement qu'a eu Christian Ranucci. S'il avait été coupable, pensez-vous qu'il soit rentré paisiblement à Nice sans même faire disparaître de son coffre le pantalon et les lanières de cuir que l'on brandit aujourd'hui pour l'accabler ? Enfin, il y a ce mystérieux homme au pull-over rouge. Trois témoins sont venus attester de son existence. L'un d'entre eux explique qu'il l'a aperçu en train d'aborder des enfants. Cet homme est décrit comme conduisant une Simca 1100, c'est-à-dire la marque de la voiture mentionnée par les témoins de l'enlèvement. Un homme donc, vêtu d'un pull-over, en tout point semblable à celui que Mesdames et Messieurs les jurés ont sous les yeux. Vous le voyez là, posé sur la table des pièces à conviction. Ce pull-over rouge a été retrouvé près des lieux du crime. Personne ne peut expliquer sa présence. Alors, oui, je m'étonne et je m'indigne : allez-vous oser condamner à mort sur un dossier pareil ? Allez-vous oser condamner sur la foi d'un dossier de plâtre ? Je ne suis pas du côté des assassins, mais je ne suis pas non plus du côté de l'erreur judiciaire. Acquittez Christian Ranucci ! Le sang se lave avec les larmes, non avec le sang. Tant que la peine de mort existera, la nuit régnera dans la cour d'assises. »

À l'issue de cette plaidoirie, fait rarissime dans une cour d'assises, l'avocat général reprend la parole pour répondre à Maître Lombard. Le représentant de l'accusation fait alors état de rapports de police qui torpillent la thèse de « l'homme au pull-over rouge ». Le principal témoin avait en effet d'abord rapporté aux policiers qu'il avait aperçu un homme au pull-over… vert ! Le coup est terrible pour la défense.

Paul Lombard réplique cependant : « Faut-il que l'accusation se sache chancelante pour avoir besoin de ce coup d'épaule nouveau ; mais je suis certain, maintenant, que Messieurs les jurés n'accorderont pas à Monsieur l'avocat général la tête à laquelle il semble tellement tenir et qu'il réclame si ardemment. »

Quand il se lève pour défendre la mémoire de la petite Maria Dolorès Rambla, Gilbert Collard n'a que 28 ans. Ce jeune homme pressé n'a pourtant pas choisi d'endosser la « robe » par vocation. « Je voulais être comédien, mais mes parents m'ont poussé vers des études de droit, alors je suis devenu avocat. » Comédien pourtant, il l'est resté un peu, beaucoup plus sans doute que la plupart de ses confrères. Il aime la lumière et en particulier celle des caméras et des plateaux télé. La gloire l'a parfois poussé à la facilité. Cet orateur hypermédiatique en a, d'une certaine manière, payé le prix. Car ses excès ont souvent fait oublier son exceptionnel talent. « J'ai eu un grand maître, dit-il, soudain modeste, Émile Pollack. » Depuis, il défend des « célébrités » (Richard Virenque, Charles Pasqua, le général Paul Aussarès, Patrice Alègre, Marine le Pen.) et des « monstres ordinaires ». Un grand avocat, dit-il, « accepte de défendre l'individu que tout le monde veut lapider ». Comme ce pédophile que vingt de ses confrères, avant lui, avaient refusé d'assister. « Il avait violé un bébé de 18 mois. Je me rappelle du regard d'effroi des jurés. » Plaider, dit-il aussi, « c'est réussir à traduire par des mots l'authenticité d'une vie. Une vie qui a pu pousser un homme à faire le mal. Mais une vie que l'on doit rendre enfin acceptable ».

Pourtant, quand dans l'affaire Ranucci, il prononce sa première grande plaidoirie, Gilbert Collard est du côté du « bien ». Il ne défend pas l'accusé, il représente la victime. Il est « en partie civile » comme on dit. Une mission délicate, dans l'atmosphère de haine et de fureur de ce procès. S'il parle au nom d'une fillette atrocement assassinée, le jeune avocat se refuse à en appeler au sang et à la vengeance. Il doit torpiller ce qu'il croit être les « mensonges » de Christian Ranucci, et il s'y applique avec force. Pour autant, il ne trahit pas ses convictions et demande aux jurés de laisser la vie sauve à l'accusé. « Je veux pour lui un chagrin et un repentir qui ne finissent jamais. » En concluant ainsi sa plaidoirie, le disciple de Pollak marque son opposition farouche à la peine de mort, et réussit une performance saluée par les chroniqueurs judiciaires de l'époque.

PLAIDOIRIE PRONONCÉE LE 10 MARS 1976
PAR GILBERT COLLARD, L'AVOCAT DE LA FAMILLE
DE MARIA DOLORÈS RAMBLA DEVANT LA COUR
D'ASSISES D'AIX-EN-PROVENCE.

« C'était le lundi de Pentecôte, le 3 juin 1974, des enfants de pauvres, Maria Dolorès, 8 ans, et son frère Jean, 6 ans, jouent devant l'immeuble, cité Sainte-Agnès à Marseille. C'est l'espace bétonné de leurs vacances. Une voiture grise entre dans la cité déserte et s'arrête à la hauteur des gamins. Un homme demande gentiment à la petite fille de l'aider à retrouver son chien noir qu'il vient de perdre. Soudain, après les derniers bruits du moteur de la voiture qui s'en va, on n'entend plus rien, les enfants se sont tus. Le frère cherche sa sœur, la mère, qui surveille de sa fenêtre, ne voit plus sa fille. Le 5 juin, grâce aux témoignages des époux Aubert qui ont eu un accrochage avec un véhicule et qui ont vu disparaître un homme avec un enfant, on découvre le cadavre de Maria Dolorès Rambla dissimulé sous des branchages épineux à une vingtaine de mètres de la route où a eu lieu l'accident. La malheureuse est couverte de sang. Elle porte de nombreuses blessures à hauteur du cou et sur la tête. Elle n'a pas été violée. Sous le soleil accablant de juin, les ténèbres s'abattent sur le père qui reconnaît le cadavre de sa fille. À partir de ce moment, la seule question qui vaille est : qui est l'assassin ? Il est là, l'homme au crucifix ostentatoire, dans ce box, et personne d'autre que lui n'a pu tuer Maria Dolorès, l'enfant sans distraction, que la recherche d'un chien noir perdu a divertie. Pourquoi ? Je sais que l'avocat général va demander la peine de mort, et cette idée me fait frémir. Christian Ranucci, j'ai presque votre âge, et la pensée que vous alliez mourir sous le couperet m'est insupportable ! Dites la vérité, expliquez-vous, racontez l'horreur. Cet aveu, qui fait de vous un meurtrier par panique, sauvera votre tête qui se fracasse déjà contre les évidences. Les époux Aubert, lors de l'accrochage, ont relevé le numéro d'immatriculation de votre véhicule, 1369 SG O6 ! Ils vous ont reconnu formellement !

Deux témoins, Rahou et Guazzone, témoignent que le 3 juin vers 17 heures, vous avez demandé et obtenu leur aide pour désembourber votre véhicule qui se trouvait à 1 km du lieu de la découverte du cadavre. Dans un premier temps, vous avez avoué, depuis vous mentez. Je me méfie des aveux. Je sais qu'on peut les arracher par la force de la garde à vue, par la terreur policière. Mais, non seulement vous avez avoué aux policiers, aveux dont je peux douter, mais vous avez aussi avoué au psychiatre, confession, elle, exempte de pression. Il n'y aurait que l'aveu, arraché ou recueilli par les policiers, consigné par le psychiatre, confirmé devant le juge d'instruction, en présence d'un avocat, je continuerais à douter des hommes qui obtiennent d'un accusé sans défense ou avec défense, de sa bouche, les mots qui le tuent. Mais il y a plus, et pire. Il y a ce dessin que vous avez fait des lieux où vous avez enlevé l'enfant qui a pris votre main d'adulte assassin pour celle d'un grand frère. Il y a le couteau dont vous avez dit vous être débarrassé d'un coup de pied dans un tas de tourbe à proximité de la champignonnière et que l'on a retrouvé grâce à vos indications à cet endroit ! Sur ce couteau, retrouvé uniquement sur vos indications, la police scientifique a isolé sur la lame du sang appartenant au groupe de Maria Dolorès, tout comme sur votre pantalon. Que faut-il de plus ? Vos mains, ces mains qui prennent l'enfant, ces mains qui tuent, elles gardent la trace du crime. On a retrouvé sur elles et sur vos avant-bras, comme une sinistre mémoire, des égratignures produites par une végétation épineuse. Le cadavre de Maria Dolorès était recouvert de branches épineuses ! En niant l'évidence, vous niez la mort d'une enfant qui devient dans ce procès un jouet d'audience, un jouet de plaidoirie, une jonglerie d'arguments fallacieux, tolérable quand il y a la place, mais insupportable quand la certitude du crime rencontre l'insoutenable petite morte de 8 ans. Il y a dans votre attitude un ricanement calculateur et roublard qui risque de conférer à votre crime plus d'horreur, d'organisation, qu'il n'en recèle. Mentir c'est faire mourir ! Et le mensonge se voit comme une orgie sur une tombe d'enfant. Le plus gros de ces mensonges est l'invention, déjouée ici, pendant l'audience, de l'homme au pull-over rouge. Vous avez fait citer, vous ou votre avocat, qui sait ? un témoin, Mme Mattéi, qui jure qu'un individu non identifié, vêtu d'un pull-over rouge, circulant dans une Simca 1100 grise, s'était livré à Marseille, au début du mois de juin 1974, à des tentatives d'enlèvements de mineurs. Or, les enquêteurs ont découvert un pull-over rouge dans la champignonnière, qui ne peut, c'est vrai, vous appartenir, et dont on ne sait, à ce jour, à qui il appartient. À partir de ce chiffon rouge, un leurre, vous avez voulu tromper tout le monde, ajoutant au crime la manipulation. Voici comment vous avez organisé la magouille : votre témoin a fait part de son témoignage à Mme Ranucci, qu'elle avait rencontrée à la prison des Baumettes, où elles venaient toutes deux visiter leurs fils détenus. Ça crée des liens. Alerté par vos avocats, le parquet a fait entendre par deux fois la visionnaire. La première fois, elle a juré que, deux jours avant le

43

crime, sa fille Agnès avait été abordée par l'homme au pull-over rouge, que le lendemain elle avait vu un homme essayer d'enlever un petit garçon, qu'elle avait même parlé à cet homme. La deuxième fois, elle déclare que l'incident concernant sa fille s'était déroulé vers le 3 juin, soit le jour du crime, et que celui concernant le petit garçon s'était produit, non plus le lendemain, mais quelques jours avant, et qu'elle avait assisté à cet incident de sa fenêtre ! Jusqu'à l'audience, et sur ma question, on s'était bien gardé d'insister sur le fait que ce témoin changeant comme la météo, était une rencontre de solidarité carcérale, une entraide douteuse de mères malheureuses ! Outre ces éléments de nature à faire suspecter ce témoignage, à supposer qu'il prouve l'existence d'un satyre au pull-over rouge, il n'établit pas que vous êtes étranger à l'enlèvement de Maria Dolorès le 3 juin 1974, ni que les preuves réunies contre vous n'existent pas. Je ne sais pas ce que vos avocats vont plaider. Ici, leur adversaire, votre adversaire, c'est la mort, une mort légale, mais horrible, que seule la vérité pourrait éloigner. Dans la panique d'un crime qui tue une enfant de huit ans, la place existe encore pour un pardon, qu'exclut l'organisation méthodique et outrancière d'une défense qui fait de vous un malin du crime. Elle avait un prénom dont vous avez fait une réalité, Marie des douleurs. Je ne veux pas que vous mouriez. Dans un temps où les souffrances des victimes s'oublient si vite, où un crime chasse l'autre, où les affiches criminelles se décollent aussi rapidement que les placards des films à la mode, au moins vous, vous vous souviendrez toujours de cette lumière de juin que vous avez éclaboussée du sang d'une enfant. Son regard, son dernier regard, son regard de larmes et de peur, vous seul l'avez dans votre mémoire d'assassin qui ment. Je veux, pour le chagrin des parents, que la justice vous punisse, mais, qu'elle vous laisse vivre dans le réduit sombre de ce regard ! »

VERDICT :

Le 10 mars 1976, la cour d'assises d'Aix-en-Provence condamne Christian Ranucci à la peine de mort. Le 28 juillet 1976, Christian Ranucci est exécuté.

Le procès de Paul Touvier

Le 17 mars 1994, la justice a rendez-vous avec l'Histoire. Paul Touvier, renvoyé devant la cour d'assises des Yvelines, pour avoir fait exécuter 7 otages juifs à Rillieux-la-Pape en juin 1944, est le premier citoyen français à devoir répondre du pire des crimes, le crime ultime : le crime contre l'humanité. Ce procès, les associations de victimes l'espèrent depuis si longtemps. Un demi-siècle après la fin de la Seconde Guerre, se réjouissent-elles, la France ose regarder son passé en face, enfin ! La presse et les historiens attendent eux aussi beaucoup de cette audience. Trop sans doute. Paul Touvier, chefaillon sans envergure – qui à la tête d'une phalange de voyous a pourchassé, racketté, pillé, torturé, violé les Juifs – n'a rien d'un idéologue. Il a eu un rôle bien moindre que René Bousquet, le chef de la police de Vichy (qui, lui, ne sera jamais jugé). Il n'a pas l'aisance intellectuelle du préfet Maurice Papon (dont le procès aura lieu trois ans plus tard). De plus, âgé de 79 ans, il est déjà un vieillard fort diminué. Il comparaît enfermé dans un box de verre – protection contre un éventuel attentat – telle une momie plongée dans du formol. À moitié sourd, il se montre incapable de répondre aux interrogatoires. Le président de la cour d'assises est donc contraint de relire les déclarations que l'exmilicien a faites au cours de l'instruction. Paul Touvier hoche la tête quand il ne prétend pas ne plus se souvenir de rien. « C'est faux », lâche-t-il parfois. Ou « c'est exact », se contredisant d'une audience à l'autre, voire d'une minute à l'autre. Les débats s'éternisent. Ils seront cependant sauvés de l'ennui grâce à un extraordinaire défilé de témoins à la barre du tribunal. Des hommes d'Église, en particulier des moines sortis de leur couvent, pour les besoins de la justice, viennent tour à tour se justifier du soutien qu'ils ont accordé à Touvier. Condamné à mort par contumace à la Libération, le milicien n'aura en effet jamais cessé de fuir. Fervent catholique, il trouve refuge auprès de nombreux prêtres et passe toute son existence à errer d'église en monastère. En août 1947, il se marie clandestinement dans une chapelle de la rue Monsieur-le-Prince, à Paris. Deux enfants naîtront de cette union. C'est donc en famille que Paul Touvier frappe, dans les années qui suivent, à la porte des couvents. Il séjourne à l'abbaye d'Hautecombe en Savoie, au couvent des dominicains d'Évreux, à la Chartreuse-de-Portes dans l'Ain, ou à l'abbaye Saint-Pierre-de-Solesmes dans la Sarthe. Il est finalement arrêté le 24 mai 1989 au prieuré Saint-Joseph à Nice. L'audience vire d'ailleurs parfois à la mise en accusation de cet étrange réseau « pro-Touvier ». Mais Jacques Trémolet de Villers, l'avocat de la défense, lui-même un catholique traditionaliste, veille à ne rien laisser passer. Omniprésent, il joue habilement des absences de son client – Paul Touvier semble parfois dormir – et devient peu à peu le personnage central du procès. Élève de Jean-Louis Tixier-Vignancour, rond, courtois, habile, il emprunte en virtuose tous les méandres de la procédure. Sans jamais hausser le ton – il est très exactement l'inverse de Jacques Vergès qui, lorsqu'il défendit Klaus Barbie, multiplia les esclandres et les provocations –, Trémolet explore tous les dédales du dossier. « Le droit, rien que le droit », dit-il, faussement naïf. Car bien sûr, ses arguments juridiques ne sont jamais innocents. Ils visent tous à requalifier les crimes reprochés à Touvier, non plus en crimes contre l'humanité mais en crimes de guerre, donc prescrits. Pour y parvenir, Jacques Trémolet de Villers s'engouffre dans toutes les failles du dossier et elles sont nombreuses. La France ayant toujours eu du mal à admettre les responsabilités de Vichy dans le génocide, la justice a accumulé les contradictions dans sa définition des crimes contre l'humanité, applicable à un Français. Brillant orateur, flamboyant, Jacques Trémolet de Villers va plaider durant cinq heures pour Paul Touvier.

PLAIDOIRIE PRONONCÉE PAR JACQUES TRÉMOLET DE VILLERS, L'AVOCAT DE PAUL TOUVIER, LE 19 AVRIL 1994, DEVANT LA COUR D'ASSISES DES YVELINES.

« Il n'y a pas une chose à juger, il n'y a pas un symbole, il n'y a pas une histoire, il n'y a pas l'Histoire, il n'y a pas Vichy, il n'y a pas la France, il y a Paul Touvier !

Il y a le procès de Paul Touvier !

Et, c'est très émouvant de penser que, vous qui êtes là, vous allez juger. Vous allez mettre le point final à cette fantastique histoire judiciaire. D'ailleurs, ce point final a un véritable nom, vous allez prononcer votre arrêt. Ce mot d'arrêt dit tout. Vous allez mettre un terme et ce terme, vous allez le mettre au nom du peuple français.

On vous l'a dit : "Vous êtes ici au nom de la France." Elle n'est pas ici ou là la France ! Elle n'est pas dans le box ! Vous ne jugez pas la France. Vous jugez au nom de la France. Vous n'êtes pas la France de 1789 contre celle d'avant 1789, la France de gauche contre celle de droite, la France de la lumière contre celle des ténèbres, la France des valeurs fondamentales contre celle de l'abjection. Ah ! l'abjection ! Ah ! comme il m'a fait plaisir celui qui m'a envoyé l'abjection dans la figure ! Je suis la voix de "l'abjection". Et j'en suis fier parce qu'en vérité votre ligne de démarcation n'existe pas. Vous êtes véritablement la France, toute la France. Et, c'est en son nom que vous allez juger, rendre un verdict qui sera historique.

Vous allez dire NON à la question qui vous sera posée. NON, Paul Touvier ne s'est pas rendu complice d'un crime à Rillieux-la-Pape, les 28 et 29 juin 1944.

NON, la tragédie de Rillieux-la-Pape n'est pas un crime contre l'humanité.

Qu'est-ce que le crime contre l'humanité ? Le Tribunal militaire international de Nuremberg a été constitué, en 1945-1946, pour juger, entre autres, les criminels contre l'humanité. À ce Tribunal, on n'a déféré ni Pétain ni Laval ni Darnand. Dans les cours de justice qui ont jugé Philippe Pétain, Laval et Darnand, aucun crime contre l'humanité ne leur a été reproché et pourtant on ne leur a pas fait de cadeaux : Pétain a été condamné à mort, Laval aussi, et il a même été fusillé, alors qu'il était mourant.

Il est vrai que Laval ne voulait pas tomber sous des balles françaises. Il s'était fait apporter – on sait par qui, je crois, mais ce n'est pas à moi de le dire – une petite fiole de poison. Quand on est venu lui annoncer qu'il allait être exécuté, que ces messieurs sont entrés dans la cellule et qu'Albert Naud, son défenseur, lui a dit : "Monsieur le président, il faut que vous soyez courageux", il s'est caché sous sa couverture et il a avalé le poison. À ce moment-là, Me Naud, croyant à un mouvement de peur, a été scandalisé et lui a dit : "Mais enfin, Monsieur le président, de la dignité, du courage." Puis il a vu l'homme pris de convulsions, le regard vitreux. Tous ont compris. On se précipite pour lui faire un lavage d'estomac. On essaye de le remettre debout. Impossible. Alors le procureur général, qui avait été un fidèle procureur général du gouvernement de Vichy et qui avait requis fidèlement contre Laval, a cette phrase étonnante : "Il n'y a qu'à l'attacher sur le brancard, on dressera le brancard et comme ça, on pourra le fusiller." À l'honneur de la robe d'avocat, Albert Naud réplique : "Monsieur le procureur général, si vous faites cela, le monde entier le saura par ma bouche." On a laissé Laval se redresser tout seul. On ne refera jamais le procès Laval. Comme le dit très bien son gendre, M. de Chambrun : "Il n'y a pas eu de procès Laval, il y a eu un assassinat judiciaire."

Ni dans ce qu'on a reproché à Laval, chef nominal de la milice, ni dans ce qu'on a reproché à Darnand, chef réel de la milice, il n'est fait mention de crime contre l'humanité. Cinquante ans plus tard, on vient chercher quelqu'un qui n'est pas un sous-fifre mais qui est un subordonné, et on lui dit : "Vous, vous avez commis un crime contre l'humanité." On lui a dit cela alors que ses chefs n'ont pas été condamnés à ce titre.

L'un des chefs de file de l'école historique la plus sévère contre Vichy, Jean-Pierre Azéma a été interrogé sur Vichy à la télévision. Le journaliste lui demande : "Peut-on dire que Vichy est criminel contre l'humanité ?" Il répond : "Non." Vous avez constaté comme moi que Jean-Pierre Azéma n'a pas fait partie des historiens appelés à témoigner devant ce tribunal…

Il y a une raison juridique qui interdit la qualification de "crime contre l'humanité". Le Tribunal international de Nuremberg a défini, d'une façon sur laquelle on ne peut pas revenir, quelles étaient les organisations jugées criminelles : on y trouve la Gestapo, le parti nazi, l'État nazi, mais pas la milice. La milice n'y est pas, c'est ainsi. Comme Nuremberg n'existe plus, comme son rôle est terminé, vous ne pouvez pas, vous, qualifier la milice de criminelle contre l'humanité. Vous n'allez pas rendre un arrêt dont certains considérants au moins diraient : "Attendu que la milice est ceci ou cela." Vous allez répondre par "oui" ou par "non". Sur ce point, vous ne pouvez pas avoir d'autre certitude que celle-ci : jamais la milice n'a été jugée criminelle contre l'humanité par le Tribunal international de Nuremberg constitué pour juger les criminels contre l'humanité se rapportant à la période de 1940-1945.

Voilà pourquoi je dis que le procès Touvier n'est pas le procès Barbie. Quand l'accusation a assimilé le procès Touvier au procès Barbie, elle s'est trompée volontairement. Elle a cherché à vous tromper. Je n'ai pas assisté au procès Barbie. Je n'ai pas de jugement ni d'opinion sur le procès. Mais ce que je sais, c'est que Barbie était un cadre de la SS, un cadre de la Gestapo et que la Gestapo a été jugée criminelle contre l'humanité par Nuremberg. Ce préalable existait. La cour d'assises de Lyon était en droit d'estimer qu'une présomption de culpabilité pouvait peser sur Barbie parce qu'il était membre et dirigeant de la Gestapo – à condition que l'on prouve aussi sa responsabilité personnelle.

Mais il n'y a rien de tel dans le cas de Paul Touvier. Rien. La milice n'a pas été déférée à Nuremberg. La milice n'a pas été jugée criminelle contre l'humanité.

En tout cas, ce qui est vrai, ce qui demeure – je vous demande de le noter parce que je n'y reviendrai pas – c'est que le général Oberg a été gracié. Quand de Gaulle revient au pouvoir en 1958, il gracie Oberg le chef de la SS en France et Knochen, son adjoint, les deux "chefs de l'enfer organisé". Tous deux sont morts dans leur lit en Allemagne, tranquillement.

Paul Touvier est ici. La disproportion par rapport à Oberg est tout de même éclatante. Paul Touvier est le chef du 2ᵉ service de la milice ! On vous a dit : "milice égale SS". Eh bien, jouons le jeu jusqu'au bout. Acceptons par hypothèse que "milice égale SS". Qu'est-il arrivé au chef de la SS ? Il est rentré chez lui. Gracié.

Mais Paul Touvier, lui, est ici !

La première fois que je me suis trouvé avec Paul Touvier dans le bureau de Monsieur le juge d'instruction pour le débat contradictoire – il s'agissait de savoir s'il serait maintenu en détention ou mis en liberté – j'avais quarante-quatre ans. J'ai regardé M. Getti qui en avait à l'époque quarante-deux et Monsieur le représentant du parquet qui en avait quarante, et je leur ai dit : "On juge le père ici ! Tous les trois nous sommes nés après la guerre. Lui, il était dans la guerre, et nous allons le juger ensemble pour ce qu'il a fait pendant la guerre alors qu'aucun de nous ne sait ce qu'était cette guerre !" Aucun de nous trois – et aucun de nous ici – ne peut dire ce qu'il aurait fait à ce moment-là. "Il n'avait qu'à ne pas y être !" Le fait est qu'il y était.

Non, décidément, ce n'est pas possible ! Les enfants ne peuvent pas juger le père. "Mais ce n'est pas notre père ! Si ! C'est la génération de votre père. Mais il y en a qui ont été résistants… ? Bien sûr, il y en a qui ont été résistants et d'autres, victimes…" Tout cela est vrai mais, pour juger, il faut pouvoir se mettre dans les circonstances dans lesquelles se trouvait celui qu'on va juger. Le temps passé rend impossible cette recomposition. Et cette raison suffit pour qu'on ne puisse pas le juger !

Des crimes de guerre, il s'en est commis pendant la guerre de 1939-1945 des deux côtés, et des crimes de guerre sans proportion avec la fusillade de Rillieux ! Au début de cette affaire, Monsieur l'abbé Jean Toulat a écrit dans *La Croix* une série d'articles intitulée : "La guerre, c'est le crime même." Je cite de mémoire : "Le bombardement de Dresde, cent soixante-quinze mille morts civils en une journée, un enfer de feu et de flammes déchaîné par les bombes incendiaires, un gigantesque crématoire pendant une journée et une nuit, sept cent soixante avions de la RAF pour frapper d'horreur la population allemande. Il n'y avait pas un militaire à Dresde, et on le savait mais il s'agissait précisément de frapper d'horreur la population. C'est un monstrueux crime de guerre."

Celui qui a ordonné cela n'est passé devant aucun tribunal. Sir Winston Churchill a donné son nom aux plus belles avenues des plus belles villes de France. Après Hiroshima et Nagasaki, le président Truman a dit : "C'est une très belle victoire de la science." Les victimes étaient toutes civiles. Il est mort des centaines de milliers de femmes et d'enfants ! C'était nécessaire ? Le Japon a été frappé d'une telle horreur que la guerre s'est arrêtée ? Je veux bien. C'était la criminelle nécessité de la guerre ? Acceptons…

Ce qui est sûr, c'est qu'on ne les a pas jugés.

Mais l'Amérique n'était pas une puissance de l'Axe. Donc on ne la juge pas. On félicite les héros lanceurs de ces bombes, on les décore. C'est comme ça la guerre ! Malheur aux vaincus et vivent les vainqueurs ! On raconte qu'après avoir pris connaissance du jugement du tribunal de Nuremberg, le maréchal Montgomery a dit à l'un de ses compagnons : "La prochaine, il faudra absolument la gagner, sinon ce sera notre tour." Propos d'homme de guerre…

On dira, je sais, que ce n'est pas parce qu'on ne condamne pas les uns qu'il ne faut pas condamner les autres. Ceux qui ont été jugés à Nuremberg étaient certainement des criminels et on les a condamnés. De toute façon, l'ampleur de leurs crimes était établie. Je veux bien… Mais vous ne pouvez pas dire à quelqu'un que vous accusez d'être responsable de la mort de sept Juifs : "Je vous applique, cinquante ans après, le texte de Nuremberg parce que vous êtes un criminel contre l'humanité !" Ce n'est pas possible car vous mettriez l'accusé sur le même plan que celui qui a organisé l'extermination générale. Une formule plus littéraire que juridique veut faire de Paul Touvier "un complice de la Shoah". Eh bien, non !

Je connais aussi la formule, très littéraire, de M. André Frossard : "Le crime contre l'humanité, c'est tuer quelqu'un parce qu'il est né." Quand ces mots frappent l'oreille, la mémoire les retient. Mais, à la réflexion, on est bien obligé de constater que c'est une formule creuse. Et elle est doublement creuse. Par défaut de qualificatif, d'abord : pour qu'il y ait "crime contre l'humanité", il faut tuer quelqu'un parce qu'il est né ou juif ou polonais ou tchèque ou français. Ensuite, parce qu'elle néglige l'ampleur, également constitutive du crime contre l'humanité. Cette formule littéraire n'a rien à voir avec le droit. Elle est très exactement… de la littérature !

J'ai entendu hier Monsieur l'avocat général dire à la fin de ses réquisitions : "La peine de mort n'existe plus, M. Touvier en profite, c'est régulier. Mais je lui applique et je vous demande de lui appliquer la peine maximale prévue par le Code pénal : la réclusion à perpétuité."

À Nuremberg, il y a eu seulement deux hommes condamnés pour crime contre l'humanité et pour crime contre l'humanité seulement. Tous les autres condamnés l'ont été à la fois pour crime de guerre et crime contre l'humanité. Ce qui fait qu'on ne sait pas quelle part de leur condamnation s'applique au crime de guerre et quelle part au crime contre l'humanité. Mais deux, deux en tout et pour tout, ont été condamnés pour crime contre l'humanité, dont von Schirach, le *gauleiter* de Vienne, celui qu'Hitler avait nommé pour gouverner en son nom l'Autriche et notamment la ville de Vienne. Il a été reproché à von Schirach la déportation de cinquante mille Juifs de Vienne. Pour des faits d'une telle ampleur et rentrant dans le cadre du plan concerté, il a été condamné en 1946, à Nuremberg, à vingt ans de prison…

Vingt ans de prison au *gauleiter von Schirach* représentant de l'Allemagne nazie !

Il n'est pas possible non plus – ce sera ma dernière partie – il n'est pas possible en équité, non, il n'est pas possible de condamner l'homme que vous avez à juger – parce que c'est un homme que vous avez à juger et non un symbole ! Il n'est pas possible de le condamner pour la vie même de notre pays ! Il n'est pas possible de le condamner en raison même de ce qui est au cœur de cette affaire, la mémoire, et particulièrement la mémoire des victimes.

Vous allez juger un homme et, quoi que l'on en ait dit, cet homme a cinquante ans de plus qu'au moment des faits. Aujourd'hui, Paul Touvier est vieux. Mon confrère Me Nordmann vous a dit : "Au tympan des cathédrales, dans les représentations sculptées du *Jugement dernier*, on voit des vieux en enfer…" Votre justice n'est pas de cet ordre-là : vous, vous n'envoyez pas les gens en enfer ! D'ailleurs, si certains vieux vont en enfer, ce n'est pas pour ce qu'ils ont fait cinquante ans avant leur mort, mais pour ce qu'ils sont au soir de la vie, pour une impénitence qui se continue jusqu'à la fin. Mais laissons cela : ce sont les jugements divins !

Mesdames et messieurs, on ne peut pas faire l'économie de l'épaisseur de ce qui s'est passé entre 1944 et 1994.

Quelle épreuve il a subie ! Et sa femme et ses enfants ! Ces audiences, toute leur vie étalée, tournée et retournée…

Ne croyez-vous pas qu'ils ont tous assez payé ? Car ils ont payé tous les quatre ! Si vous l'envoyez en prison, ce sont les quatre que vous briserez. Écoutez-moi ! Ils n'ont rien d'autre, ils n'ont rien d'autre au monde que leur unité ! C'est leur seule richesse ! Quand Paul s'est marié avec Monique, il n'avait rien. Rien ! Pas même un état civil ! "Quand on n'a que l'amour, pour habiller, mâtins, pauvres, malandrins de manteaux de velours…" Ils n'ont rien d'autre ! Vous rendez-vous compte ? Ils n'ont rien d'autre !

Et vous détruiriez ce nœud familial !

Non, ce n'est pas possible !

CE N'EST PAS POSSIBLE !

Vous n'allez pas détruire ce nœud !

Vous n'allez pas détruire le seul bien qu'ils aient.

Le meilleur résumé de tout ce que je viens de vous dire, c'est l'abbé Pierre qui l'a donné. Ça s'est passé vendredi soir, il y a trois jours, à la fin de la dernière audience des parties civiles. Vers 11 heures, mon épouse m'a appelé : "Viens voir, il y a l'abbé Pierre à la télé. Il parle de l'affaire Touvier." Vous connaissez l'abbé Pierre, il tient des propos parfois un peu primesautiers. J'ai répondu : "L'abbé Pierre ? Tu me raconteras." Et puis, j'y suis allé. Et j'ai entendu ceci : "Ce pauvre vieux – ce sont ses mots – ce pauvre vieux, il a assez payé, qu'on lui foute la paix… !" Oui, c'était bien résumé. Et c'était juste – vraiment juste.

Cinquante années ! Cinquante années pendant lesquelles il y a eu des amitiés et des joies, mais cinquante années dominées effroyablement par une peine plus forte que toutes les autres : "Vous n'appartenez pas à la Nation, vous n'appartenez pas à la société, vous en êtes exclu…"

Ah, oui, Paul Touvier, il l'a eue la contrepartie de sa vie familiale extraordinairement unie, de ses amitiés, de ses joies ! "Vous êtes exclu de la société. Vous êtes celui que l'on ne peut pas voir. Vous êtes le monstre !"

Cela suffit !

CELA SUFFIT !

J'ai gardé Charles de Gaulle pour la fin. On peut difficilement dire que son avis n'a pas de poids. Écoutez, écoutez ce qu'il dit dans ses *Mémoires de guerre* : "De ces miliciens fonctionnaires, policiers, propagandistes, il en fut qui répondirent aveuglément au postulat de l'obéissance. Certains se laissèrent entraîner par le mirage de l'aventure, quelques-uns crurent défendre une cause assez haute pour justifier tout. S'ils furent des coupables, nombre d'entre eux n'ont pas été des lâches. Une fois de plus, dans le drame national, le sang français coula des deux côtés. La Patrie vit les meilleurs des siens mourir en la défendant avec honneur. Hélas, certains de ses fils tombèrent dans le camp opposé. Elle approuve leur châtiment, mais elle pleure tout bas ses enfants morts. Elle les berce dans son chagrin. Voici que le temps fait son œuvre. Un jour les larmes seront taries, les fureurs éteintes, les tombes effacées, mais il restera la France."

Mesdames et Messieurs, j'ai commencé en vous disant : C'est au nom de la France que vous allez rendre votre décision. Je le répète en finissant : C'est au nom de la France que vous allez rendre un beau verdict d'acquittement. Un beau verdict de paix. Un beau verdict de justice. Vous ferez ainsi quelque chose de bien, quelque chose de noble, quelque chose de ferme. Vous allez rendre un verdict assis sur le droit que je vous ai rappelé, assis sur le droit qui est plus fort que tout, assis sur la vérité des faits telle qu'on peut la connaître aujourd'hui, vérité qui repose sur l'aveu de l'accusé qu'on ne peut écarter, car nous n'avons que l'aveu de l'accusé, mais nous avons tout l'aveu de l'accusé. Vous allez rendre un verdict assis sur ce sens supérieur de la justice qui rappellera à un juridisme quelque peu déchaîné, disons-le, qui rappellera à des passions partisanes qui n'ont rien à faire ici, qui rappellera qu'il ne faut pas mélanger la douleur et la haine, qu'il ne faut pas mélanger la mémoire et la vengeance, qu'il ne faut pas mélanger l'hommage dû aux morts innocents et la vengeance contre celui qui n'a pas été l'instrument volontaire de leur mort.

Vous avez entendu une chose terrible. On vous a dit que votre oui à la question posée serait un honneur rendu à la mémoire des victimes.

Mais croyez-vous que l'honneur des victimes tienne à la condamnation, cinquante ans après, de celui qui a été l'instrument involontaire de leur supplice ?

Les parties civiles le prétendent. Eh bien, moi, je ne le crois pas. Je ne le crois pas ! Je ne le crois pas parce que les morts ne peuvent pas demander une condamnation injuste. Une injustice, au contraire, ternirait leur mémoire.

Au cours d'une audience à la chambre d'accusation, j'ai entendu Me Libman s'écrier : "Les enfants d'Izieu ont trouvé leur sépulture dans la condamnation de Klaus Barbie !" Quelle horreur ! Comment peut-on faire parler ainsi des enfants ? Comment peut-on ainsi faire parler des enfants morts ? Ce n'est pas possible ! Ou faut-il comprendre que ce n'est pas la ferveur qui vous conduit, vous, les parties civiles, que ce n'est pas la piété qui vous conduit, que c'est un autre sentiment. Certainement, si c'était la ferveur et la piété qui vous conduisaient, vous n'auriez pas l'idée d'une pareille vengeance.

Il se sera commis beaucoup de crimes contre l'humanité en notre siècle. Il s'en commet beaucoup aujourd'hui, particulièrement dans ce Moyen-Orient qui devrait être un lieu béni du monde. Je connais un petit garçon victime de ces crimes contre l'humanité. Il a le visage tout criblé par l'obus qui a emporté à côté de lui sa mère et son frère. Il s'appelle Élie Mansour. Il a le regard bleu des beaux enfants d'Orient. Il a été interrogé un soir à l'émission de Mireille Dumas, "Bas les masques". À celle qui l'interrogeait comme « enfant de la guerre », Élie a dit : "J'ai pardonné à ceux qui ont tué mon père, ma mère et mon frère parce que, si on ne pardonne pas, la vie n'est plus possible."

Vous allez rendre un verdict qui n'a pas besoin du pardon, qui n'a pas besoin d'indulgence, qui n'a besoin que du droit et de la vérité. Vous rendrez ainsi un verdict de paix, d'honneur et de justice. »

VERDICT :

Le 19 avril 1994, la cour d'assises des Yvelines a condamné Paul Touvier à la réclusion criminelle à perpétuité pour complicité de crimes contre l'humanité, en raison de son rôle dans l'exécution de 7 otages juifs à Rillieux-la-Pape en juin 1944.

Le procès de Marc Cécillon

À 45 ans, Marc Cécillon n'était déjà plus que l'ombre de lui-même. Le 7 août 2004, ivre, il tue sa compagne Chantal, secrétaire médicale avec qui il était marié depuis 24 ans. Lui, la star adulée aux 46 sélections en équipe de France de Rugby, l'icône des stades des années 1990, le colosse invincible (1,91 m, 115 kg) a sombré depuis la fin de sa carrière dans l'alcoolisme et la dépression. Alors, en cet été 2004, lorsque Chantal, lors d'un dîner chez des amis, lui annonce qu'elle souhaite le divorce parce qu'elle ne supporte plus sa violence exacerbée et son harcèlement jaloux, il part chercher son pistolet magnum 357 et tire cinq fois. « Je l'ai tuée, mais je l'aime ! Tuez-moi ! » hurle-t-il en transe après avoir vidé son chargeur. Les convives auront le plus grand mal à le maîtriser. Son taux d'alcool dans le sang est de 2,65 grammes.

Deux années plus tard, il comparaît devant la cour d'assises de l'Isère. Son défenseur appelle à la rescousse la glorieuse famille du rugby français. Médecins, joueurs ou entraîneurs racontent le reclassement toujours délicat des sportifs de haut niveau. L'angoisse de ces montagnes de muscles, soudain si fragiles quand elles retournent à la « vie civile ». Les jurés restent pourtant insensibles à cet argument. Ils condamnent lourdement : 20 années de réclusion criminelle. Après avoir fait appel, Marc Cécillon est jugé une seconde fois le 1er décembre 2008 devant la cour d'assises du Gard. C'est alors un tout autre procès qui s'ouvre. Son nouveau défenseur, Éric Dupond-Moretti, n'a pas convoqué à la barre l'armada des amis sportifs parce que « Cécillon n'était plus un rugbyman quand il a tué sa femme ». Il plaide le drame familial et l'histoire ordinaire d'une chute. « Devant une cour d'assises, expliquera l'avocat au journal *Le Monde*, on parle toujours de la même chose : de l'amour, de papa-maman, de sa femme, de ses gosses. Avec les mots des pauvres gens, comme dit Ferré. Moi, j'adore les mots, mais je déteste la littérature. Ou alors seulement Pagnol parce qu'il aime le mot manivelle. » Il a aussi cette phrase définitive : « Il faut que les jurés aient envie de prendre le Ricard avec vous, pas le champagne. » « L'ogre », comme le surnomment ses confrères, tant sa stature impressionne dans les prétoires, a, comme toutes les stars, ses fans, ses inconditionnels, et ses détracteurs qui le jugent « brutal » ou « mal élevé ». Devenu célèbre avec l'affaire d'Outreau, il est désormais le recordman des acquittements et la terreur des magistrats. Fils d'une femme de ménage, boursier, pion, serveur dans une boîte de nuit pour payer ses études de droit, il entre dans la carrière par la petite porte : les affaires prud'homales. Mais il ne rêve que du pénal. « Le soir, je prenais des commissions d'office à tour de bras. » Quand arrivent les premières relaxes, Éric Dupond-Moretti se fait un nom. Puis une réputation. Il est celui qui fait peur, celui qui n'hésite pas à incendier les juges, celui qui mord, celui qui ose lâcher un jour à un président : « Il m'est désagréable de plaider devant vous, car je vous déteste. » L'ogre assure qu'il ne triche jamais. « Je suis à la barre ce que je suis dans la vie, explique-t-il à *Libération*. Un gars pas hypercultivé, un peu brutal. Mais je préfère la maladresse à la lâcheté. » Mais l'ogre est aussi un écorché vif. Et pour Marc Cécillon, il prononce une plaidoirie violente d'humanité.

« Tout ce que ce métier m'a appris, c'est que les êtres sont tous d'une extrême fragilité. Même s'il mesure 1,91 m et même s'il pèse 115 kg et même si le seul film qu'il soit allé voir dans sa vie, c'est *L'Ours*. Alors, je voudrais que lui et moi nous descendions de l'Olympe des dieux du stade pour vous présenter ce dossier à hauteur d'homme et que vous puissiez le juger à hauteur d'homme. Mesdames et Messieurs les jurés, j'ai besoin de vous, non pas comme des Saint-Just, mais comme des hommes et des femmes qui sont venus avec leurs défauts et leurs qualités. Vos défauts, ils m'intéressent. Aussi.

C'est un procès exceptionnel auquel nous avons assisté. D'abord, grâce aux parties civiles. Je m'incline en tant qu'homme devant votre chagrin, je m'incline sur votre dignité. On voit si souvent, dans les cours d'assises, des parties civiles qui ont enfourché le cheval sécuritaire et qui mesurent leur possibilité de "reconstruction" à la hauteur des années de prison prononcées ! Vous… (Éric Dupond-Moretti se tourne vers les filles et la mère de Chantal Cécillon)… vous avez exprimé des choses que je n'ai pas entendues depuis quinze ans dans une cour d'assises. Quelle mesure !

On s'invente les héros que l'on peut. Zidane, ce n'est pas Jean Moulin ou Cécillon. Et dans la société qui est la nôtre, on leur pardonne tout. Leurs frasques, c'est ce qui nourrit notre appétence collective pour la presse de caniveau. Mais attention ! Le héros a une obligation, celle de ne pas tomber. Parce que, s'il tombe, il prend des coups de pied. Cécillon n'a pas su préparer sa reconversion de sportif, il n'a pas compris les attentes de sa femme et de ses proches. Rongé par la dépression, il s'est réfugié dans l'alcool.

Moi, Marc, quand je regarde votre vie, j'ai envie de dire : putain, que c'est triste ! Que c'est illusoire ! Mais c'est comme ça. Il y a eu la notoriété, les faux amis, ces promesses de la nuit qui ne voient pas le jour, l'argent facile, les filles. C'est peut-être moralement contestable, mais c'est humain, très humain. Et puis, il y a l'alcool, la fameuse "troisième mi-temps". Mais comme dit Blondin : "On boit à plusieurs mais on est saoul tout seul." Alors lui, ce gros lourdaud, il ne sait pas parler à sa femme, il ne l'écoute pas, sa belle-mère. Il préfère les copains. Et il va au bistrot. Et c'est un pastaga, deux pastagas, trois pastagas et après, il rentre tout seul chez lui comme un connaud. Oui, il traite sa femme de "merde", mais parce qu'il pense qu'il est devenu une merde lui-même. Quand on ne se respecte plus, on ne peut pas respecter les autres.

Évidemment que Chantal a peur de lui. Évidemment aussi, qu'il ne s'en est pas rendu compte parce que, pour Cécillon, à moins d'un coup de boule, il n'y a pas de violence.

Mais il n'y a pas de hasard si le drame s'est noué ce soir-là, dans cet endroit-là. Ce soir-là, Marc Cécillon, il est comme dit son ami Béjuy – vous vous en souviendrez longtemps de celui-là – "dans le fond du sac". Et comment imaginer, comment penser un seul instant à un geste prémédité. Ce que je veux dire aux parties civiles, c'est que l'assassinat, c'est une espèce de projet froid, déterminé, médité d'avance. Qui peut dire que, ce soir-là, avec 3 grammes d'alcool dans le sang, Marc Cécillon n'est pas sous l'empire d'une passion quand il repart chez lui et qu'il prend l'arme ? Les deux experts psychologue et psychiatre ont tous deux estimé que, ce soir-là, il ne disposait pas de son entier discernement. Comment quelqu'un qui ne dispose pas de son entier discernement peut-il accomplir un acte prémédité ?

Alors, pourquoi ça vaut pas vingt ans et pourquoi il faut aller en dessous de quinze ans, je vais vous le dire. Il a des circonstances atténuantes, Marc Cécillon.

La première, c'est que ce n'est pas une crapule. Est-ce qu'il y en a un d'entre vous qui peut dire que ce n'est pas un brave type, Marc Cécillon ? La deuxième, c'est que le crime n'est pas un crime crapuleux, mais un crime passionnel. Il a commis son crime sous l'emprise de la passion à un moment où il n'avait pas le contrôle de ses actes. Quelle différence avec Bertrand Cantat, qui bat sa femme à mort et qui prend 8 ans ? Cantat, il ne rencontrera pas Cécillon en prison, il est sorti. La troisième circonstance atténuante, c'est sa dépression. Mais il la soigne au pastis, lui ! Ah, bien sûr, on peut lui reprocher de ne pas être allé voir un psy ! Mais vous l'imaginez, vous, cette bestiasse, allez voir un psy pour lui dire qu'il est devenu une merde ?

Marc Cécillon, il faut qu'il comprenne qu'il a été jugé comme un type ordinaire, descendu de l'Olympe, qui nous ressemble. La semaine prochaine, son nom, ce n'est pas à la une de *L'Équipe* qu'il va le lire, mais à celle de *Détective*. Nous avons assisté à un réquisitoire de caricature, à une maladresse judiciaire considérable. La peine de 20 ans réclamée par Monsieur l'avocat général, c'est la peine à laquelle Mesrine a été condamné. Si vous le condamnez à 20 ans, vous aurez jugé mais vous n'aurez pas rendu la justice. Je vous demande de rendre justice. »

Le 3 décembre 2008, la cour d'assises du Gard a condamné Marc Cécillon à 14 ans de réclusion pour le meurtre de son épouse. Il s'agissait du procès en appel. En première instance, Marc Cécillon avait été condamné à 20 ans de réclusion criminelle.

Au nom de l'Histoire

Le procès du Maréchal Pétain

Au moment où il comparaît devant ses juges, le maréchal est déjà un vieillard. Philippe Pétain est âgé de 89 ans. Pour lui éviter des allées et venues, pendant la durée des débats, un appartement a été sommairement aménagé dans le cabinet du greffier. Ce 23 juillet 1945, premier jour du procès, bien avant l'heure de l'audience, on se bouscule devant le poste de contrôle. Les gradins de bois, construits pour l'occasion, sont pris d'assaut. Le public a bien conscience de vivre un instant historique : la comparution d'un maréchal de France devant la Haute Cour de Justice pour trahison et intelligence avec l'ennemi. Dès midi, la salle se remplit et la chaleur est vite étouffante. L'accusé arrive à 13 h 30. Vêtu de kaki, il porte comme unique décoration la médaille militaire. Selon les comptes rendus de l'époque, il s'assoit, pose son képi et ses gants sur la petite table disposée devant lui et attend. Il semble complètement étranger à ce qui se passe. Il est absent. Le président Mongibeaux, le visage un peu empâté, orné d'une barbiche, prend la parole : « L'accusé qui comparaît aujourd'hui a suscité pendant de longues années les sentiments les plus divers, depuis un enthousiasme et une sorte d'amour, jusqu'à la haine et l'hostilité violente. À la porte de cette audience, où les

69

passions doivent s'éteindre, je tiens à dire que nous ne connaissons qu'une seule passion, sous un triple aspect : la passion de la vérité, la passion de la justice et la passion de notre pays. » Après avoir ajouté que l'Histoire jugerait les juges eux-mêmes, il déclare les débats ouverts. La Haute Cour de Justice chargée de juger Philippe Pétain est composée de vingt-quatre jurés : douze parlementaires tirés au sort dans l'Assemblée, douze membres d'organisations de la Résistance et trois magistrats professionnels. Philippe Pétain, après avoir entendu la lecture de l'acte d'accusation, demande la parole pour lire une déclaration : « La Haute Cour, telle qu'elle est constituée, ne représente pas le peuple français et c'est à lui seul que s'adresse le maréchal de France, chef de l'État. Je ne répondrai à aucune question... J'ai passé ma vie au service de la France... L'Occupation m'obligeait à ménager l'ennemi, mais je ne le ménageais que pour vous ménager vous-mêmes... Pendant que le général de Gaulle, hors de nos frontières, poursuivait sa lutte, j'ai préparé les voies à la Libération, en conservant une France douloureuse mais vivante. À quoi, en effet, eût-il servi de libérer des ruines et des cimetières. Si vous deviez me condamner, vous condamneriez un innocent et c'est un innocent qui en porterait le poids, car un maréchal de France ne demande de grâce à personne. » Philippe Pétain ne prononce pas un mot de plus durant le procès. Pendant que ses trois avocats, maîtres Lemaire, Payen et Isorni, ferraillent eux sans relâche, interrogeant longuement les témoins qui se succèdent au cours ces trois semaines d'audience, qu'ils soient à charge – comme Édouard Daladier, Paul Reynaud, Léon Blum – ou à décharge – comme le général Weygand ou le pasteur Boegner. Le 11 août 1945, dans un silence de plomb, le procureur général Mornet requiert : « On a failli faire perdre à la

France sa raison de vivre en lui enlevant son honneur. Cela, c'est le crime inexpiable auquel il n'est ni atténuation, ni excuse… C'est la peine de mort que je demande à la Haute Cour de justice de prononcer contre celui qui fut le maréchal Pétain. » Le 14 août 1945, Jacques Isorni lui réplique. Âgé de 34 ans, l'avocat au visage juvénile, balayé par une large mèche de cheveux noirs, est tétanisé par l'enjeu. « Affalé sur une chaise de velours, a-t-il écrit plus tard, je devais être d'une pâleur touchant au vert. Pour me soutenir, la maréchale ne m'offrait complaisamment que de l'eau de Vittel dans le verre du maréchal… » Isorni se lève, pétrifié, un brouillard devant les yeux. Peu à peu, sa voix de cuivre porte. Vingt ans après, l'écrivain Jules Roy, ancien aviateur, qui servit Pétain avant de rejoindre la RAF, fit revivre cet instant unique : « Qui pouvait résister au romantisme d'Isorni ? Un dieu le possédait. Il tendait des bras implorants. La foi qui le brûlait gagnait comme un incendie que le vent attise. Tassé par l'émotion, l'accusé disparaissait au fond de son fauteuil. On n'en respirait plus. Des larmes commençaient à couler sur les joues. Aujourd'hui encore, il arrive que des hommes qui, pourtant, n'ont pas assisté à cette plaidoirie en citent des passages par cœur, tant ils furent bouleversés par les extraits qu'en publièrent les journaux d'alors. »

PLAIDOIRIE PRONONCÉE PAR JACQUES ISORNI
LE 14 AOÛT 1945 DEVANT LA HAUTE COUR DE JUSTICE

« Au seuil de mes explications, je voudrais vous livrer, non pas une conception mais l'idée qui sans doute a présidé à la politique du maréchal pendant quatre années.

La politique du maréchal était la suivante : sauve-garder, défendre, acquérir des avantages matériels, mais souvent au prix de concessions morales. La Résistance a eu une conception contraire : elle ne cherchait point à éviter les sacrifices immédiats. Dans la continuation du combat, elle voyait, d'abord, des avantages moraux. Peut-être trouverez-vous, dans l'antinomie de ces deux thèses, une raison du drame français auquel je reviendrai tout à l'heure.

Mais, la vie des États n'est pas la vie des individus. S'il est grave qu'un individu acquière des avantages matériels ou défende ces avantages matériels au prix de concessions morales, dans la vie de l'État, il en va autrement. Les concessions morales qui étaient suscep-tibles de porter atteinte à l'honneur du chef, c'était le chef seul qui les supportait. Mais les avantages maté-riels, ils étaient pour qui ? Ils étaient pour le peuple français.

On nous a dit : "Peut-être aurait-il mieux valu que ce ne fût pas un maréchal de France." Messieurs, il fallait justement que ce fût un maréchal de France qui pouvait seul supporter de telles concessions, les offrir en sacrifice, alors que les avantages étaient pour les Français, qu'eux seuls en bénéficiaient.

Et puis, Messieurs, la deuxième notion, je voudrais l'emprunter à un dialogue qui s'était institué à cette barre entre Monsieur le procureur général et Monsieur Léon Blum. Monsieur Léon Blum invoquant le serment, pen-sait que la magistrature aurait dû le refuser. Et Monsieur le procureur général s'écriait : "Mais que serait-il arrivé si les magistrats français avaient refusé de prêter ser-ment ?"

Et c'est encore Monsieur le procureur général qui apportait lui-même la réponse dans son réquisitoire, lorsqu'il disait : "Mais, la magistrature, à laquelle je rends hommage, a sauvé des quantités de vies françaises." C'est exact.

Messieurs, le Procureur général est orfèvre… Si vous aviez interrogé un Préfet de police, il vous aurait dit : "Il y a eu des erreurs ; il y a eu, de la part de certains, des crimes ; mais la police dans son ensemble a sauvé elle aussi des quantités de vies françaises."

Si vous vous adressiez à tous les chefs d'administrations, à tous ceux qui sont à la tête de corps constitués, ils vous diraient la même chose : "Nous avons sauvé ce que nous avons pu sauver dans le domaine qui était le nôtre."

Sous quelle forme le maréchal Pétain est-il accusé d'avoir aidé l'Allemagne ?

Je retiendrai les deux principaux griefs : la Légion des volontaires français et le Service du travail obligatoire.

En ce qui concerne le Service du travail obligatoire, je veux dire que loin d'apporter une aide à l'Allemagne, c'est là que l'action du Gouvernement français a été la plus efficace et la plus protectrice.

Veut-on prétendre que sans le Gouvernement du maréchal Pétain, il n'y aurait jamais eu de travailleurs français en Allemagne ?

Lorsque les Allemands ont exigé que des travailleurs français partent pour l'Allemagne, il y avait deux solutions. La première consistait à refuser d'une manière brutale, et les Allemands "se servaient" comme ils voulaient. La deuxième c'était d'entrer, en apparence, dans le jeu des Allemands et de chercher, par tous les moyens, à freiner leurs efforts, et puis, étant entré dans ce jeu, de conserver la possibilité de nous occuper des travailleurs, partis au-delà de nos frontières. Entre les deux solutions, le Gouvernement du maréchal a choisi.

Je voudrais vous apporter ici des chiffres, des chiffres plus éloquents que n'importe quel argument.

Quelles ont été les exigences allemandes ? Il y a eu, entre le 5 juin 1942 et le 1er août 1944, cinq demandes. On a demandé cinq tranches de travailleurs :
- Première tranche : 400 000 hommes.
- Deuxième tranche : 400 000 hommes.
- Troisième tranche : 220 000 hommes.
- Quatrième tranche : 500 000 hommes.
- Cinquième tranche : 540 000 hommes.

C'est-à-dire au total, 2 060 000 hommes, et sans aucune contrepartie.

Telles étaient les exigences du gauleiter Sauckel.

Or, entre le 5 juin 1942 et le 1er août 1944, il n'est parti pour l'Allemagne que 641 000 – il n'est parti que… vous me comprenez – que 641 000 hommes, c'est-à-dire un peu plus du quart des demandes allemandes et, en contrepartie, le Gouvernement a obtenu, par la Relève – je ne discute pas le mot – mais pendant cette même période où 641 000 travailleurs sont partis, la France a obtenu le retour de 110 000 prisonniers et la transformation en travailleurs libres, de 250 000 prisonniers de guerre.

Or, il est un fait important qui ne s'est produit dans aucun autre pays que la France : pas une femme – et sur l'intervention personnelle du maréchal – pas une femme n'a quitté le territoire français pour le travail obligatoire.

D'autre part, par le Service du travail, le Gouvernement obtenait que te telles charges ne pèsent pas exclusivement sur la classe ouvrière. Un certain nombre de jeunes bourgeois sont allés partager avec les ouvriers la dureté du travail des usines, peut-être d'une manière insuffisante. Mais croyez-vous que si les Allemands avaient pris eux-mêmes les ouvriers dont ils avaient besoin, ils se seraient adressés à des hommes qui, par leur formation, étaient incapables de rendre les services qu'ils attendaient d'eux ?

Si bien que par la manière dont le Gouvernement a freiné les départs en Allemagne, un quart seulement des exigences allemandes a été satisfait ; alors qu'en Belgique 80 % de la classe ouvrière est partie, la proportion en France est de 16 %.

N'est-ce point un résultat que vous devez conserver gravé dans votre esprit au moment de votre délibéré ? Est-ce que vous ne devez pas penser que par l'action du maréchal, alors qu'on réclamait deux millions de Français, 600 000 seulement sont partis ? Est-ce que vous ne devez pas penser qu'alors qu'on demandait des femmes, toutes les femmes de France qui l'ont voulu sont restées à leurs foyers ?

Il y a, dans la France occupée, un phénomène unique : c'est le seul pays qui n'ait pas connu, en 1944, plus de nationaux en Allemagne qu'il y en avait en 1940. Par le retour des prisonniers – 700 000 – il s'est établi une compensation dont aucun autre pays occupé n'a bénéficié. Il y avait deux millions de Français, en 1940, en Allemagne. En 1944, il y avait toujours deux millions de Français.

On a beaucoup reproché au maréchal de leur avoir indiqué, dans un discours, qu'ils travaillaient pour la France. Monsieur le procureur général y voyait une cruelle ironie. N'y voyons pas d'ironie !... Ces hommes, Messieurs, étaient des exilés. Ils étaient loin de tout, séparés de leurs familles, séparés de la France. Est-ce que vous ne croyez pas que celui qui représentait pour eux la Patrie, que celui-là devait leur adresser un appel : "Mais nous pensons à vous, vous n'êtes pas abandonnés" ? Devait-il leur dire pour les accabler davantage dans leur solitude et dans leurs durs travaux : "Vous travaillez pour l'ennemi" ?

Il leur disait : "Vous travaillez pour la France". Ce n'était qu'un encouragement moral.

Et puis, ces hommes, en partant, en acceptant cet exil, avaient permis aux autres de rester ; ils avaient aidé les femmes françaises à rester et, dans cette mesure, offrant à la France leur dur sacrifice, c'est bien pour notre Patrie qu'ils avaient travaillé.

Après les « humiliations », voulez-vous que nous parlions des "persécutions" ? Je parlerai d'abord des lois raciales.

Quelle était la politique allemande dans les pays occupés ? Éliminer les Juifs de toute espèce d'activité, quelle qu'elle fût.

Allait-il y avoir, en France, une politique différente ? Vous savez quelle en était la cruauté. Ai-je besoin de le rappeler ?

Quelle devait être la politique du maréchal vis-à-vis des Juifs ? Ce qu'il avait fait pour d'autres : essayer de dresser une espèce d'écran entre les exigences du vainqueur provisoire, et ceux que ces exigences devaient atteindre.

Est-ce que cela veut dire que les antisémites qui existaient dans tous les pays n'ont pas profité des circonstances pour esquisser une danse sauvage du scalp autour de ceux qui allaient souffrir ? Je le sais. Mais le maréchal en était-il responsable ?

En matière de lois raciales, puisque vous êtes chargés de juger le maréchal Pétain, seul, il n'y a qu'une seule chose qui compte : ce que fut son action personnelle.

Il a promulgué une loi qui a interdit à un certain nombre de Juifs des activités qu'ils exerçaient normalement. Il a promulgué une loi qui a défini le Juif, c'est incontestable. Mais c'est lui qui, en Conseil des ministres, a imposé la disposition légale qui prévoyait les exceptions en faveur des anciens combattants et de leurs familles.

C'est lui qui a empêché le port de l'étoile jaune en zone libre.

C'est lui, et c'est lui seul qui a empêché que la loi dont a parlé M. Roussel, et qui allait dénaturaliser tous les Juifs ayant acquis la nationalité française depuis 1927 fût promulguée.

C'est lui, pour vous montrer son état d'esprit, qui traitait Darquier de Pellepoix de tortionnaire.

Et, comme je n'ai qu'un souci, celui d'être véridique, c'est lui aussi qui avouait devant le pasteur Boegner, son impuissance désolée devant des atrocités dont il n'était pas responsable...

Mais la grande iniquité, c'est de vouloir rendre le maréchal Pétain responsable de toutes ces atrocités qui ont été commises par les Allemands. La grande iniquité, c'est de confondre les mesures prises par les Allemands avec les mesures prises par le maréchal Pétain.

Je m'adresse, au-dessus de vous, à tous les Juifs qui ont souffert qui accablent aujourd'hui le maréchal. Je leur demande : Ce serait à refaire ? Voudriez-vous qu'il n'y ait pas une zone libre où vous aviez trouvé un abri provisoire, alors pourtant que le statut du maréchal Pétain y était appliqué ?

Renonceriez-vous à cette zone libre sans le maréchal Pétain ? Voudriez-vous que dans cette autre partie de France vous eussiez été obligés également de porter l'étoile jaune ?

Je ne le crois pas.

On m'objecte : par la politique du maréchal, on a livré indirectement aux Allemands les Juifs en donnant leurs noms, leurs identités, leurs adresses.

Non, non, ce n'est pas vrai ! Dans tous les pays occupés – c'est même la loi internationale de l'occupation – il continue d'exister une police chargée de l'ordre intérieur de la Nation.

Rappelez-vous l'époque. C'était l'époque où on ne pouvait pas manger sans carte d'alimentation, où nous étions tous, quel que soit notre rang, soumis à un recensement, où l'autorité devait connaître notre identité. Les Allemands pouvaient, par un simple placard sur des murs, exiger que les Juifs se fassent connaître. Ceux qui ont couru tous les risques en se soustrayant au recensement les auraient courus de la même façon. Mais, quoi qu'il arrivât, ce recensement des Juifs se serait fait par l'entremise des Allemands, comme il s'est fait par l'entremise de la police française.

Le maréchal Pétain n'a livré personne. Devant la dure loi de l'ennemi, il n'a cherché qu'un palliatif.

Il aurait peut-être mieux valu, mais pour lui seul, laisser agir les Allemands. Là encore, on a fait des concessions morales pour tâcher de sauvegarder, dans la mesure du possible, des avantages matériels dont bénéficiaient les Juifs.

Je me rappelle que, lorsque la loi française venait frapper un Juif, nous nous servions tous ensemble de cette loi pour le soustraire aux Allemands. Vous connaissez bien, Messieurs les magistrats, certains de vos collègues qui, avec nous, avec l'aide des parquets, ont fait ce métier sauveur. Mais si nous n'avions pas disposé de la loi française invoquée devant les Allemands, ceux-ci eussent été livrés à eux-mêmes, et les Juifs entièrement livrés aux Allemands.

Je sais, Messieurs, que les comparaisons avec des pays que nous ne connaissons pas ont quelque chose, parfois, de fallacieux et d'arbitraire mais je ne puis m'empêcher de donner ces chiffres, recueillis dans la presse :

Sur 5 500 000 Juifs qui résidaient en Pologne en 1939, 3 400 000 ont été massacrés par les nazis. À

Varsovie, 5 000 seulement, sur les 400 000 ont survécu. Quelles que soient les souffrances des Juifs français – je ne parle pas des souffrances individuelles mais des souffrances collectives – est-ce que la proportion de leurs malheurs est aussi grande que pour les Juifs de Pologne ? Je ne le pense pas. C'est seule l'action du gouvernement du maréchal qui les a, peut-être faiblement, mais protégés quand même.

Et j'en arrive à ce qui préoccupe peut-être le plus certains d'entre vous : le maréchal et la Résistance, le maréchal et le maquis.

Messieurs de la Résistance, je me tourne plus particulièrement vers vous. N'attendez pas de moi – ce serait indigne de nous – n'attendez pas de moi que je fasse une distinction entre le bon et le mauvais maquis. Je laisse cela à d'autres. Je pense que, s'il y a des critiques à adresser au maquis, il n'y a pour avoir le droit de le faire que ceux qui y ont participé. Je pense, pour ma part, qu'un des merveilleux phénomènes du maquis de la Résistance, c'est d'avoir fait, de Français adversaires, des Français fraternels, parce qu'ils ont souffert les mêmes souffrances, que les mêmes espoirs les ont animés et qu'une même victoire a couronné leurs sacrifices. Je pense que la Résistance, c'est le signe de la vitalité d'un peuple : je pense que la Résistance, c'est sa volonté de survivre. Pourquoi voudriez-vous que celui qui fut un des plus glorieux soldats français ait été hostile à cette Résistance ?

Paul Valéry disait à l'Académie, s'adressant au maréchal Pétain :

"Monsieur, vous avez, à Verdun, assumé, ordonné, incarné cette Résistance immortelle !... Ah ! Je sais bien quel est le cri de vos consciences : vous vous rappelez la police qui vous a traqués, vous vous rappelez la milice qui vous a combattus, et si vous, qui êtes des juges, vous ne criez pas vengeance, je sais des vôtres qui ont atrocement souffert et qui, eux, crient vengeance."

Mais je voudrais essayer de vous faire comprendre quelle a été l'attitude du maréchal vis-à-vis de vous, quelle a été son attitude vraie, non pas tant du chef de l'État, que celle de l'homme.

Le maréchal a vécu toute sa vie dans l'armée. Je crois très sincèrement que ses pensées intimes allaient à l'armée secrète. Je crois très sincèrement qu'il n'était peut-être pas, par ses dispositions intellectuelles, accessible à ce mouvement qui a été un jaillissement populaire venu des profondeurs de la Nation. Il pensait aux armements clandestins, il pensait à l'armée d'Afrique. Il n'avait peut-être pas l'état d'esprit nécessaire à vous comprendre dans votre action. Il y a surtout une considération de fait : à partir du moment où la résistance est devenue active, où elle est entrée au combat avec plus de force, passant du réseau de préparation à l'activité combattante, alors, déjà, vous le savez, le maréchal ne gouvernait plus : il avait délégué ses pouvoirs au chef du gouvernement et il vivait dans une espèce de zone de silence dont le caractère tragique ne nous échappe pas lorsqu'on pense que cette zone de silence entourait celui qui avait, en nom, la responsabilité suprême... Je sais que des membres de son cabinet étaient en contact avec vos organisations mais c'est, néanmoins, déformé que venait jusqu'à lui l'écho de votre action.

Je plaide avec une loyauté totale, je plaide sincèrement ; ne doutez pas de ce que je dis. Au fort de Montrouge, j'ai souvent parlé au maréchal de la Résistance. Il la connaissait, certes, mais si vous saviez comme il a été trompé sur la réalité de votre action !... Il est incontestable que des hommes sont venus jusqu'à lui, qui eux, avaient des arrière-pensées politiques et qui mettaient sur le compte du maquis ce qui n'était que des actes exceptionnels commis par d'autres ou qui profitaient de la désorganisation de la Patrie. C'est vrai. Mais, dans son cœur, celui qui avait été, depuis Verdun, comme le disait Valéry, l'incarnation de la Résistance éternelle, pouvait-il être contre vous ?

Enfin, Messieurs, il faut que vous connaissiez un document : c'est la lettre du maréchal Pétain à Pierre Laval relative à la milice. Cette lettre, elle est tardive, je le sais, je ne vous cache rien. Mais elle fait suite à de nombreuses protestations. Laissez-moi, Messieurs, vous en lire les principaux extraits :

"Des faits inadmissibles et odieux me sont quotidiennement rapportés et je vous en citerai quelques exemples…. Des preuves de collusion entre la milice et la police allemande nous sont chaque jour apportées. Des dénonciations, des livraisons de prisonniers français aux autorités de police allemandes m'ont été maintes fois signalées et par les plus hautes autorités départementales. J'en ai eu un exemple dans mon entourage. J'insiste sur le déplorable effet produit sur des populations qui peuvent, dans certains cas, comprendre les arrestations opérées par les Allemands, mais qui ne trouveront jamais aucune excuse au fait que des Français livrent à la Gestapo leurs propres compatriotes et travaillent en commun avec elle." Voilà la prophétique protestation qu'adressait solennellement le maréchal Pétain à Pierre Laval. Voilà quels étaient les sentiments intimes du maréchal Pétain.

J'ai encore dans l'oreille un cri jailli de ce côté-ci de la Haute Cour. Un des juges s'est écrié : "Et nos morts !"

Ces morts, croyez-moi, nous les pleurons ensemble.

Mais d'autres Français sont morts, eux aussi, sous les balles allemandes et qui, au moment de mourir ont crié : "Vive le maréchal !"

J'ai une lettre touchante, écrite à son père par un jeune homme, presque un enfant, la veille de sa mort, la veille du supplice qu'allaient lui infliger les Allemands.

"Je sais le coup terrible que cela va te porter et je t'en demande bien pardon. Et si cela peut être une consolation pour toi, je vais faire en sorte que tu sois fier de moi. J'entends mourir courageusement, fièrement, en vrai Français, et faire honneur à mon pays. C'est la dernière et seule chose que j'aurai pu faire pour toi. Il faut que tu saches et répètes que ma dernière parole sera : Vive le maréchal ! Vive la France !"

Ah ! Si des hommes sont morts sous les balles allemandes en criant : "Vive le maréchal !" ne pensez-vous pas qu'ils ont mené le même combat que vous ? Si des hommes ont été déportés, ont souffert en criant : "Vive le maréchal !" ne pensez-vous pas qu'ils ont mené le même combat que vous ? Vous vous êtes ignorés souvent, heurtés parfois. Mais le sentiment profond qui faisait battre vos cœurs, qui vous faisait répandre votre sang, ne pensez-vous pas que c'était le même ? Cependant, alors que vous animait ce sentiment commun, alors que vous vous sacrifiiez à un même idéal, nous sommes aujourd'hui en présence de ce qu'on peut appeler le drame français.

Ce drame, pourquoi existe-t-il ? Et c'est à vous de le dénouer.

Je vous ai livré la pensée du maréchal. Je vous ai livré son action. Je vous ai rappelé ces hommes qui sont morts comme les vôtres mais qui, eux, criaient : "Vive le maréchal !" Je crois profondément, j'ai la conviction que vous avez tous mené le même combat. Maintenant, vous êtes parvenus à l'heure peut-être la plus solennelle de la justice française. Vous avez fait parler les morts. Vous avez appelé à votre barre le témoignage de ceux qui ont été persécutés. Vous avez ranimé le souvenir des captifs, qu'à mon tour j'appelle à votre barre les vivants, ceux qui ont été libérés, ceux qui ont été protégés. Vous avez entendu la voix des hommes qui sont partis ; laissez-moi entendre celle des femmes qui sont restées. Qu'ils viennent tous aujourd'hui, qu'ils forment cortège au maréchal et qu'à leur tour ils protègent celui qui les avait protégés. Mais si, malgré tout ce que je viens de dire, si malgré le sentiment de la vérité qui est en moi, vous deviez suivre le procureur général dans ses réquisitions impitoyables, si c'est la mort que vous prononcez contre le maréchal Pétain, eh bien ! nous l'y conduirons. Mais je vous le dis, où que vous vous trouviez, à cet instant, que vous soyez à l'autre bout du monde, vous serez tous présents. Vous serez présents, Messieurs les magistrats, vêtus de vos robes rouges, de vos hermines et de vos serments. Vous serez présents, Messieurs les parlementaires, au moment où la délégation que le peuple vous a donnée de sa souveraineté s'achèvera. Vous serez présents, Messieurs les délégués de la Résistance, au moment où ce peuple n'aura pas encore consacré vos titres à être ses juges. Vous serez tous présents ! Et vous verrez, au fond de vos âmes bouleversées comment meurt ce maréchal de France que vous aurez condamné. Et le grand visage blême ne vous quittera plus... Et je ne l'évoque, ce tragique, cet inhumain spectacle du plus illustre des vieillards lié à la colonne du martyre, je ne l'évoque que pour vous faire peser tout le poids de votre sentence.

Non, non, il ne faut pas espérer de la clémence d'un autre. Si la clémence est dans la justice, elle doit être d'abord dans vos consciences.

Songez seulement à la figure que donnerait à la France à travers le monde une telle horreur et songez que le peuple atterré se frapperait la poitrine.

Mais, je le sais, de telles paroles sont vaines, superflues. Les cris de la haine, le débordement des passions, les outrages sans mesure ont expiré au seuil de votre prétoire et elle est, enfin, venue l'heure de la souveraine justice.

Nous l'attendons, sûrs de tous les sacrifices consentis. Nous l'attendons avec la sérénité des justes. Nous l'attendons comme le signe de la réparation. Nous l'attendons aussi avec tous les souvenirs de notre longue Histoire, de ses fastes et de ses misères, de ses agonies et de ses résurrections.

Oui, en cette minute même, tous ces souvenirs se lèvent irrésistiblement en nous, comme ils doivent se lever en vous-mêmes et forment l'image de l'éternelle Patrie.

Depuis quand notre peuple a-t-il opposé Geneviève, protectrice de la ville, à Jeanne qui libéra le sol ? Depuis quand, dans notre mémoire, s'entr'égorgent-elles, à jamais irréconciliables ? Depuis quand, à des mains françaises qui se tendent, d'autres mains françaises se sont-elles obstinément refusées ?

Ô ma Patrie, victorieuse et au bord des abîmes ! Quand cessera-t-il de couler ce sang plus précieux depuis que nous savons qu'il n'y a plus que des frères pour le répandre ? Quand cessera-t-elle, la discorde de la Nation ?

Au moment même où la paix s'étend enfin au monde entier, que le bruit des armes s'est tu et que les Mères commencent à respirer, ah ! Que la paix, la nôtre, la paix civile évite à notre terre sacrée de se meurtrir encore !

Magistrats de la Haute Cour, écoutez-moi, entendez mon appel. Vous n'êtes que des juges ; vous ne jugez qu'un homme. Mais vous portez dans vos mains le destin de la France. »

VERDICT :

Le 15 août 1945, la Haute Cour condamne le maréchal Pétain à la peine de mort, à l'indignité nationale, à la confiscation de ses biens. Tenant compte du grand âge de l'accusé, la Haute Cour de Justice émet le vœu que la condamnation à mort ne soit pas exécutée.

Le 17 août 1945, le général de Gaulle, président du Gouvernement provisoire de la République, commua la peine du maréchal en détention perpétuelle.

L'affaire de Bobigny

Le procès de Bobigny, qui se tint en octobre et novembre 1972, est un procès politique par excellence. Au sens noble du terme puisqu'il a largement contribué à la dépénalisation de l'interruption de grossesse, la loi Veil, votée trois ans plus tard. L'accusée n'était pourtant ni une féministe ni une militante. Juste une jeune fille de 16 ans, victime d'un viol.

Un soir du mois d'août, elle a suivi un copain de lycée, Daniel, pour – pensait-elle – faire un petit tour en voiture et écouter de la musique. Mais le jeune homme l'amène chez lui et se jette sur elle. « Il m'a frappée, expliquera-t-elle plus tard devant le tribunal, il m'a donné des claques, j'ai cédé, je n'ai eu qu'une seule fois des rapports avec lui, et je me suis sauvée ensuite. » Cela aura suffi pour qu'elle soit enceinte. La suite de l'histoire ressemble à toutes ces histoires de viols et d'avortements honteux ou traumatisants que connurent des milliers de femmes avant la loi Veil. Marie-Claire, évidemment désemparée, se confie à sa mère. « On l'élèvera en faisant des sacrifices », lui répond Michèle Chevalier qui s'occupe pourtant déjà toute seule de ses trois filles adolescentes avec un modeste revenu de 1 500 francs par mois qu'elle perçoit comme employée à la RATP. Mais Marie-Claire refuse, elle ne veut pas de « l'enfant d'un voyou ». Surtout, elle ne s'imagine pas mettre au monde un enfant à son âge. Elle n'imagine pas non plus aller porter plainte. Dans ces années 1970, le viol, encore tabou, est peu réprimé. Sa mère part donc en quête d'un gynécologue et finit par trouver un médecin qui accepte de pratiquer un avortement clandestin sur sa fille pour 4 500 francs. Comment trouver une telle somme ? Michèle Chevalier appelle à l'aide une collègue de travail, qui la renvoie vers une jeune secrétaire qui a appris les techniques de l'avortement en le pratiquant sur elle-même. Elle accepte d'opérer l'adolescente pour 1 200 francs. Marie-Claire subit à cinq reprises l'épreuve de la sonde artisanale et du spéculum. Peur, souffrance, hémorragie, transfert d'urgence dans une clinique. Les médecins, qui la soignent, garderont le silence et l'histoire aurait pu s'arrêter là. Mais entre-temps, Daniel, le jeune violeur, a été arrêté pour un vol de voiture et, voulant sans doute amadouer les policiers, ne trouve rien de mieux que dénoncer sa victime ! Marie-Claire est poursuivie devant le tribunal pour enfants qui, considérant qu'« elle a souffert de contraintes d'ordre moral, familial, auxquelles elle n'a pu résister », prononce sa relaxe le 11 octobre 1972. Affaire classée ? Non. La mère de la jeune fille, son amie de la RATP et la secrétaire « faiseuse d'anges » sont elles aussi renvoyées devant le tribunal de grande instance de Bobigny pour complicité d'avortement. Le procès s'ouvre le 8 novembre suivant. Les féministes se mobilisent. Et c'est Gisèle Halimi qui défend Michèle Chevalier. L'avocate est depuis longtemps de toutes les luttes : l'indépendance de la Tunisie et de l'Algérie, la dénonciation des tortures pratiquées par l'armée française, la révélation des crimes de guerre commis par l'armée américaine au Vietnam. En 1971, avec son amie Simone de Beauvoir, elle a fondé le mouvement « Choisir la cause des femmes » et milite activement en faveur de la dépénalisation de l'avortement en France. Avec l'accord des inculpées, elle fera de ce procès une magistrale tribune pour plaider la cause de millions de femmes et dénoncer une loi aussi archaïque qu'injuste (les Françaises qui en ont les moyens vont à l'étranger pour se faire avorter). Le procès suscite des débats dans tout le pays. Les personnalités défilent à la barre pour soutenir les accusées, l'académicien Jean Rostand, le biologiste Jacques Monod, les comédiennes Delphine Seyrig ou Françoise Fabian, Michel Rocard ou Aimé Césaire. Et le professeur Paul Milliez, médecin et catholique… « Gisèle Halimi a voulu s'adresser, par-dessus la tête des magistrats, à l'opinion publique tout entière. » Elle y a parfaitement réussi. Aujourd'hui à plus de 80 ans, elle n'a pas changé, toujours aussi engagée, battante, même rebelle, forte de ses convictions. Quand on lui demande quelle est sa définition de la plaidoirie, la réponse fuse : « Quand je plaide, je pars au combat ! »

PLAIDOIRIE DE GISÈLE HALIMI,
L'AVOCATE DE MICHÈLE CHEVALIER,
PRONONCÉE LE 8 NOVEMBRE 1972
DEVANT LE TRIBUNAL DE GRANDE INSTANCE DE BOBIGNY.

« Monsieur le président, Messieurs du tribunal,
Je ressens avec une plénitude jamais connue à ce jour un parfait accord entre mon métier qui est de plaider, qui est de défendre, et ma condition de femme.
Je ressens donc au premier plan, au plan physique, il faut le dire, une solidarité fondamentale avec ces quatre femmes, et avec les autres.
Ce que j'essaie d'exprimer ici, c'est que je m'identifie précisément et totalement avec Mme Chevalier et

avec ces trois femmes présentes à l'audience, avec ces femmes qui manifestent dans la rue, avec ces millions de femmes françaises et autres.

Elles sont ma famille. Elles sont mon combat. Elles sont ma pratique quotidienne.

Et si je ne parle aujourd'hui, Messieurs, que de l'avortement et de la condition faite à la femme par une loi répressive, une loi d'un autre âge, c'est moins parce que le dossier nous y contraint que parce que cette loi est la pierre de touche de l'oppression qui frappe la femme.

C'est toujours la même classe, celle des femmes pauvres, vulnérables économiquement et socialement, cette classe des sans-argent et des sans-relations qui est frappée.

Voilà vingt ans que je plaide, Messieurs, et je pose chaque fois la question et j'autorise le tribunal à m'interrompre s'il peut me contredire. Je n'ai encore jamais plaidé pour la femme d'un haut commis de l'État, ou pour la femme d'un médecin célèbre, ou d'un grand avocat, ou d'un P-DG de société, ou pour la maîtresse de ces mêmes messieurs.

Je pose la question. Cela s'est-il trouvé dans cette enceinte de justice ou ailleurs ? Vous condamnez toujours les mêmes, les « Mme Chevalier ». Ce que nous avons fait, nous, la défense, et ce que le tribunal peut faire, ce que chaque homme conscient de la discrimination qui frappe les mêmes femmes peut faire, c'est se livrer à un sondage très simple. Prenez des jugements de condamnation pour avortement, prenez les tribunaux de France que vous voudrez, les années que vous voudrez, prenez cent femmes condamnées et faites une coupe socio-économique : vous retrouverez toujours les mêmes résultats :

– 26 femmes sont sans profession, mais de milieu modeste, des "ménagères" ;

– 35 sont employées de bureau (secrétaires-dactylos) : au niveau du secrétariat de direction, déjà, on a plus d'argent, on a des relations, on a celles du patron, un téléphone… ;

– 15 employées de commerce et de l'artisanat (des vendeuses, des coiffeuses…) ;

– 16 de l'enseignement primaire, agents techniques, institutrices, laborantines ;

– 5 ouvrières ;

– 3 étudiantes.

Autre exemple de cette justice de classe qui joue, sans la moindre exception concernant les femmes : le manifeste des "343".

Vous avez entendu à cette barre trois de ses signataires. J'en suis une moi-même. Trois cent quarante-trois femmes (aujourd'hui, trois mille) ont dénoncé le scandale de l'avortement clandestin, le scandale de la répression et le scandale de ce silence que l'on faisait sur cet avortement. Les a-t-on seulement inculpées ? Nous a-t-on seulement interrogées ? Je pense à Simone de Beauvoir, à Françoise Sagan, à Delphine Seyrig – que vous avez entendues – Jeanne Moreau, Catherine Deneuve… Dans un hebdomadaire à grand tirage je crois, Catherine Deneuve est représentée avec la légende : "La plus jolie maman du cinéma français" ; oui certes, mais c'est aussi "la plus jolie avortée du cinéma français" !

Retournons aux sources. Pour que Marie-Claire, qui s'est trouvée enceinte à seize ans, puisse être poursuivie pour délit d'avortement, il eût fallu prouver qu'elle avait tous les moyens de savoir comment ne pas être enceinte, et tous les moyens de prévoir.

Ici, Messieurs, j'aborde le problème de l'éducation sexuelle.

Vous avez entendu les réponses des témoins. Je ne crois pas que, sur ce point, nous ayons appris quelque chose au tribunal. Ce que je voudrais savoir, c'est combien de Marie-Claire en France ont appris qu'elles avaient un corps, comment il était fait, ses limites, ses possibilités, ses pièges, le plaisir qu'elles pouvaient en prendre et en donner ?

Combien ?

Très peu, j'en ai peur.

Il y a dans mon dossier une attestation de Mme Anne Pério, professeur dans un lycée technique, qui indique que, durant l'année scolaire 1971-1972, il y a eu treize jeunes filles entre dix-sept ans et vingt ans en état de grossesse dans ce lycée. Vous avez entendu, à l'audience, Simone Iff, vice-présidente du Planning familial. Elle est venue vous dire quel sabotage délibéré les pouvoirs publics faisaient précisément de cet organisme qui était là pour informer, pour prévenir, puisque c'est de cela qu'il s'agit.

Vous avez, Messieurs, heureusement pour vous, car je vous ai sentis accablés sous le poids de mes témoins et de leur témoignage, échappé de justesse à deux témoignages de jeunes gens de vingt ans et de dix-sept ans, mes deux fils aînés, qui voulaient venir à cette barre. Ils voulaient vous dire d'abord à quel point l'éducation sexuelle avait été inexistante pendant leurs études. L'un est dans un lycée et l'autre est étudiant. Ils voulaient faire – il faut le dire – mon procès. Mon procès, c'est-à-dire le procès de tous les parents. Car l'alibi de l'éducation sexuelle, à la maison, il nous faut le rejeter comme quelque chose de malhonnête.

Je voudrais savoir combien de parents – et je parle de parents qui ont les moyens matériels et intellectuels de le faire – abordent tous les soirs autour de la soupe familiale l'éducation sexuelle de leurs enfants.

91

Mme Chevalier, on vous l'a dit, n'avait pas de moyens matériels, et elle n'avait pas reçu elle-même d'éducation sexuelle. Je parle de moi-même et de mes rapports avec mes enfants. Moi, je n'ai pas pu le faire. Pourquoi ? Je n'en sais rien. Mais je peux peut-être essayer de l'expliquer. Peut-être parce que, entre les parents et les enfants, il y a un rapport passionnel, vivant, vivace, et c'est bon qu'il en soit ainsi ; peut-être aussi parce que, pour les enfants, il y a cette image des rapports amoureux des parents et que cela peut culpabiliser et l'enfant et la mère ? Toujours est-il que l'on ne peut décider que les parents auront l'entière responsabilité de l'éducation sexuelle. Il faut des éducateurs spécialisés, quitte pour les parents à apporter, en quelque sorte, une aide complémentaire.

Pourquoi ne pratique-t-on pas l'éducation sexuelle dans les écoles puisqu'on ne veut pas d'avortements ?

Pourquoi ne commence-t-on pas par le commencement ? Pourquoi ?

Parce que nous restons fidèles à un tabou hérité de nos civilisations judéo-chrétiennes qui s'oppose à la dissociation de l'acte sexuel et de l'acte de procréation. Ils sont pourtant deux choses différentes. Ils peuvent être tous les deux actes d'amour, mais le crime des pouvoirs publics et des adultes est d'empêcher les enfants de savoir qu'ils peuvent être dissociés.

Deuxième responsabilité :

L'accusation, je le lui demande, peut-elle établir qu'il existe en France une contraception véritable, publique, populaire, gratuite ? Je ne parle pas de la contraception gadget, de la contraception clandestine qui est la nôtre aujourd'hui. Je parle d'une véritable contraception. Je dois dire que j'ai cru comprendre que même la contraception était prise à partie dans ce débat.

Je dois dire qu'il m'est arrivé de parler à plusieurs reprises de ce problème, publiquement. J'ai eu en face de moi des hommes d'Église : mêmes eux n'avaient pas pris cette position. La contraception, à l'heure actuelle, c'est peut-être 6 % ou 8 % des femmes qui l'utilisent. Dans quelles couches de la population ? Dans les milieux populaires, 1 % !

Dans la logique de la contraception, je dis qu'est inscrit le droit à l'avortement.

Supposons que nous ayons une parfaite éducation sexuelle. Supposons que cela soit enseigné dans toutes les écoles. Supposons qu'il y ait une contraception véritable, populaire, totale, gratuite. On peut rêver… Prenons une femme libre et responsable, parce que les femmes sont libres et responsables. Prenons une de ces femmes qui aura fait précisément ce que l'on reproche aux autres de ne pas faire, qui aura manifesté constamment, régulièrement, en rendant visite à son médecin, sa volonté de ne pas avoir d'enfants et qui se trouverait, malgré tout cela, enceinte.

Je pose alors la question : "Que faut-il faire ?"

J'ai posé la question à tous les médecins. Ils m'ont tous répondu, à l'exception d'un seul : "Il faut qu'elle avorte." Il y a donc inscrit, dans la logique de la contraception, le droit à l'avortement. Car personne ne peut soutenir, du moins je l'espère, que l'on peut donner la vie par échec. Et il n'y a pas que l'échec. Il y a l'oubli. Supposez que l'on oublie sa pilule. Oui. On oublie sa pilule. Je ne sais plus qui trouvait cela absolument criminel. On peut oublier sa pilule. Supposez l'erreur. L'erreur dans le choix du contraceptif, dans la pose du diaphragme.

L'échec, l'erreur, l'oubli…

Voulez-vous contraindre les femmes à donner la vie par échec, par erreur, par oubli ? Est-ce que le progrès de la science n'est pas précisément de barrer la route à l'échec, de faire échec à l'échec, de réparer l'oubli, de réparer l'erreur ? C'est cela, me semble-t-il, le progrès. C'est barrer la route à la fatalité et, par conséquence, à la fatalité physiologique.

J'ai tenu à ce que vous entendiez ici une mère célibataire. Le tribunal, je l'espère, aura été ému par ce témoignage. Il y a ici des filles, des jeunes filles qui, elles, vont jusqu'au bout de leur grossesse pour des raisons complexes mais disons, parce qu'elles respectent la loi, ce fameux article 317. Elles vont jusqu'au bout.

Que fait-on pour elles ?

On les traite de putains. On leur enlève leurs enfants. On les oblige, la plupart du temps, à les abandonner ; on leur prend 80 % de leur salaire, on ne se préoccupe pas du fait qu'elles sont dans l'obligation d'abandonner leurs études. C'est une véritable répression qui s'abat sur les mères célibataires. Il y a là une incohérence au plan de la loi elle-même.

J'en arrive à ce qui me paraît le plus important dans la condamnation de cette loi. Cette loi, Messieurs, elle ne peut pas survivre, et, si l'on m'écoutait, elle ne pourrait pas survivre une seconde de plus : Pourquoi ? Pour ma part, je pourrais me borner à dire : parce qu'elle est contraire, fondamentalement, à la liberté de la femme, cet être, depuis toujours opprimé. La femme était esclave, disait Bebel, avant même que l'esclavage fût né. Quand le christianisme devint une religion d'État, la femme devint le « démon », la « tentatrice ». Au Moyen Âge, la femme n'est rien. La femme du serf n'est même pas un être humain. C'est une bête de somme. Et malgré la Révolution où la femme émerge, parle, tricote, va aux barricades, on ne lui reconnaît pas la qualité d'être humain à part entière. Pas même le droit de vote. Pendant la Commune, aux canons, dans les assemblées, elle fait merveille. Mais une Louise Michel et une Hortense David ne changeront pas fondamentalement la condition de la femme.

Quand la femme, avec l'ère industrielle, devient travailleur, elle est bien sûr – nous n'oublions pas cette analyse fondamentale – exploitée comme les autres travailleurs.

Mais à l'exploitation dont souffre le travailleur, s'ajoute un coefficient de surexploitation de la femme par l'homme, et cela dans toutes les classes.

La femme est plus qu'exploitée. Elle est surexploitée. Et l'oppression – Simone de Beauvoir le disait tout à l'heure à cette barre – n'est pas seulement celle de l'économie.

Elle n'est pas seulement celle de l'économie, parce que les choses seraient trop simples, et on aurait tendance à schématiser, à rendre plus globale une lutte qui se doit, à un certain moment, d'être fractionnée. L'oppression est dans la décision vieille de plusieurs siècles de soumettre la femme à l'homme. "Ménagère ou courtisane", disait d'ailleurs Proudhon qui n'aimait ni les Juifs, ni les femmes. Pour trouver le moyen de cette soumission, Messieurs, comment faire ? Simone de Beauvoir vous l'a très bien expliqué. On fabrique à la femme un destin : un destin biologique, un destin auquel aucune d'entre nous ne peut ou n'a le droit d'échapper. Notre destin à toutes, ici, c'est la maternité. Un homme se définit, existe, se réalise par son travail, par sa création, par l'insertion qu'il a dans le monde social. Une femme, elle, ne se définit que par l'homme qu'elle a épousé et les enfants qu'elle a eus.

Telle est l'idéologie de ce système que nous récusons.

Savez-vous, Messieurs, que les rédacteurs du Code civil, dans leur préambule, avaient écrit ceci et c'est tout le destin de la femme : "La femme est donnée à l'homme pour qu'elle fasse des enfants... Elle est donc sa propriété comme l'arbre à fruits est celle du jardinier." Certes, le Code civil a changé, et nous nous en réjouissons. Mais il est un point fondamental, absolument fondamental sur lequel la femme reste opprimée, et il faut, ce soir, que vous fassiez l'effort de nous comprendre.

Nous n'avons pas le droit de disposer de nous-mêmes.

S'il reste encore au monde un serf, c'est la femme, c'est la serve, puisqu'elle comparaît devant vous, Messieurs, quand elle n'a pas obéi à votre loi, quand elle avorte. Comparaître devant vous. N'est-ce pas déjà le signe le plus certain de notre oppression ? Pardonnez-moi, Messieurs, mais j'ai décidé de tout dire ce soir. Regardez-vous et regardez-nous. Quatre femmes comparaissent devant quatre hommes... Et pour parler de quoi ? De sondes, d'utérus, de ventres, de grossesses, et d'avortements !...

— Croyez-vous que l'injustice fondamentale et intolérable n'est pas déjà là ?

— Ces quatre femmes devant ces quatre hommes !

— Ne croyez-vous pas que c'est là le signe de ce système oppressif que subit la femme ? Comment voulez-vous que ces femmes puissent avoir envie de faire passer tout ce qu'elles ressentent jusqu'à vous ? Elles ont tenté de le faire, bien sûr, mais quelle que soit votre bonne volonté pour les comprendre – et je ne la mets pas en doute – elles ne peuvent pas le faire. Elles parlent d'elles-mêmes, elles parlent de leur corps, de leur condition de femmes, et elles en parlent à quatre hommes qui vont tout à l'heure les juger. Cette revendication élémentaire, physique, première, disposer de nous-mêmes, disposer de notre corps, quand nous la formulons, nous la formulons auprès de qui ? Auprès d'hommes. C'est à vous que nous nous adressons.

– Nous vous disons : "Nous, les femmes, nous ne voulons plus être des serves."

Est-ce que vous accepteriez, vous, Messieurs, de comparaître devant des tribunaux de femmes parce que vous auriez disposé de votre corps ?... Cela est démentiel !

Accepter que nous soyons à ce point aliénées, accepter que nous ne puissions pas disposer de notre corps, ce serait accepter, Messieurs, que nous soyons de véritables boîtes, des réceptacles dans lesquels on sème par surprise, par erreur, par ignorance, dans lesquels on sème un spermatozoïde. Ce serait accepter que nous soyons des bêtes de reproduction sans que nous ayons un mot à dire.

L'acte de procréation est l'acte de liberté par excellence. La liberté entre toutes les libertés, la plus fondamentale, la plus intime de nos libertés. Et personne, comprenez-moi, Messieurs, personne n'a jamais pu obliger une femme à donner la vie quand elle a décidé de ne pas le faire.

En jugeant aujourd'hui, vous allez vous déterminer à l'égard de l'avortement et à l'égard de cette loi et de cette répression, et surtout, vous ne devrez pas esquiver la question qui est fondamentale. Est-ce qu'un être humain, quel que soit son sexe, a le droit de disposer de lui-même ? Nous n'avons plus le droit de l'éviter.

J'en ai terminé et je prie le tribunal d'excuser la longueur de mes explications. Je vous dirai seulement encore deux mots : a-t-on encore, aujourd'hui, le droit, en France, dans un pays que l'on dit "civilisé", de condamner des femmes pour avoir disposé d'elles-mêmes ou pour avoir aidé l'une d'entre elles à disposer d'elle-même ? Ce jugement, Messieurs, vous le savez

– je ne fuis pas la difficulté, et c'est pour cela que je parle de courage – ce jugement de relaxe sera irréversible, et à votre suite, le législateur s'en préoccupera. Nous vous le disons, il faut le prononcer, parce que nous, les femmes, nous, la moitié de l'humanité, nous nous sommes mises en marche. Je crois que nous n'accepterons plus que se perpétue cette oppression.

Messieurs, il vous appartient aujourd'hui de dire que "l'ère d'un monde fini commence". »

JUGEMENT :

Le 22 novembre 1972, Michèle Chevalier a été condamnée à 500 francs d'amende avec sursis. Un jugement dont elle fit immédiatement appel. Le ministère public laissa passer un délai de 3 ans sans fixer de date pour l'audience. Il y eut donc prescription. Au regard de la loi, Michèle Chevalier n'a donc jamais été condamnée.

Le procès Barbie

Le procès du chef de la Gestapo de la région lyonnaise s'ouvre le 11 mai 1987. C'est l'épilogue d'une très longue traque.

Après la guerre, Klaus Barbie, le « massacreur » de Jean Moulin, le bourreau des enfants d'Izieu, bénéficie d'abord de la protection des services secrets américains et se réfugie en Bolivie. Il met aussitôt ses « compétences » au service de la dictature. En 1971, les « chasseurs de nazis », Serge et Beate Klarsfeld, le débusquent à Lima mais il faudra attendre la chute de la dictature bolivienne pour que le gouvernement français obtienne enfin son extradition. En février 1983, Klaus Barbie arrive en France. Quatre ans plus tard, il comparaît devant les assises du Rhône.

L'ancien gestapiste choisit une fois de plus la fuite. Une fuite symbolique certes mais une ultime violence faite à ses victimes ou à leurs représentants. Au troisième jour des débats, il quitte le box et retourne dans sa cellule. Son avocat, Jacques Vergès, resté seul, multiplie les outrances. En affirmant que l'État français, durant la colonisation, s'est conduit de la même façon que l'occupant nazi, il cherche à dédouaner le « boucher de Lyon » dont il n'hésitera pas d'ailleurs à demander l'acquittement. Pour atténuer les responsabilités de son client, il se fait l'accusateur des « traîtres » de la Résistance qui ont dénoncé leurs frères d'armes pour avoir la vie sauve. Il déstabilise les témoins sans ménagement, met en doute leur parole quand ils racontent que c'est bien Barbie qui les a torturés. L'« avocat du Diable », comme il aime à se définir, focalise sur lui la haine destinée à l'absent. « C'est le premier procès, notera Bernard-Henri Lévy, où le héros n'est pas l'accusé mais son avocat. »

La fuite de Barbie ne donnera finalement que plus de force à la parole des victimes et des rescapés. La presse et le public – focalisés au premier jour sur la figure du « monstre » et le sourire qu'il affiche dans son box – découvrent des témoignages bouleversants et le procès devient autant œuvre de mémoire que de justice. Ainsi nul n'a oublié l'histoire que vient raconter Sabina Zlatin, âgée de 80 ans. Début 1942, cette jeune femme née à Varsovie, puis naturalisée, installe une colonie – pour y accueillir et protéger les enfants juifs – à Izieu dans l'Ain, une zone placée alors sous occupation italienne. En 1944, lorsque les nazis prennent le contrôle de la région, les troupes de la Gestapo, sous le commandement de Klaus Barbie investissent le camp et arrêtent quarante-quatre enfants, ainsi que sept adultes qui les encadrent. Tous sont embarqués en camion vers le fort Montluc à Lyon avant d'être expédiés à Drancy, puis vers les camps de la mort. Sabina Zlatin, absente au moment de la rafle, explique à la barre comment elle a essayé de les sauver par tous les moyens. Au péril de sa vie, elle se rend à Vichy : « Revêtue de mon uniforme d'infirmière de la Croix-Rouge, j'ai demandé à voir un haut fonctionnaire à l'hôtel du Parc [où Pétain a installé son gouvernement]. Je lui ai raconté la tragédie et je lui ai demandé : "Pouvez-vous faire quelque chose pour les enfants ?" Il est alors sorti de la pièce et quand il est revenu ce fut pour me dire : "Qu'avez-vous donc à vous occuper de ces sales youpins." Toutes les démarches de Sabina Zlatin resteront vaines. Les enfants d'Izieu iront à Auschwitz, le plus jeune est âgé de quatre ans. « Je me suis demandé où étaient les enfants arrivés avec nous dans les trains, a raconté lors du procès un rescapé. Dans le camp, il n'y avait pas d'enfants. Ceux qui étaient déjà là depuis longtemps me dirent : "Tu vois cette cheminée qui ne s'arrête pas de fumer ?… Tu ne sens pas une odeur de chair cuite… ?" »

À l'heure des plaidoiries, c'est l'avocat Gilbert Collard qui a prêté sa voix aux enfants d'Izieu.

PLAIDOIRIE PRONONCÉE EN JUIN 1987
PAR GILBERT COLLARD, AVOCAT DES PARTIES CIVILES,
REPRÉSENTANT « LES ENFANTS D'IZIEU »
LORS DU PROCÈS DE KLAUS BARBIE
DEVANT LA COUR D'ASSISES DU RHÔNE.

« Ils sont partis pour les camps de la mort, le 6 avril 1944, de la colonie de vacances d'Izieu, où ils se cachaient, en chantant "vous n'aurez pas l'Alsace et la Lorraine" ! Ces voix d'enfants si elles viennent jusqu'à nous dans leur clarté fragile disent tout de la lutte entre les faibles et les brutes. Klaus Barbie n'est plus là ; au troisième jour de son procès, il a fui l'audience. Sa place vide dans le box des accusés en dit long sur la lâcheté des brutes, sur leur surdité inhumaine, sur leur mépris, toujours actif, des victimes. Il tourne le dos. Un déserteur sur le front de la justice, voilà ce qu'est le tortionnaire. De ce procès on aura tout appris et rien appris. Tout appris en ce sens que l'homme ordinaire, "anormalement normal", desséché par le "refus de l'autre", comme le diagnostiquent les psychiatres, peut

101

se vautrer dans l'annihilation gustative, atroce, méthodique de son semblable, qu'il nie en tant qu'être humain. Rien appris en ce sens, et c'est l'impasse du sens, qu'on ne sait toujours pas comment la métamorphose horrible s'accomplit qui transforme le petit employé en monstre historique. Je cherche la dignité des mots qui pourraient faire parvenir jusqu'à vous la réalité des souffrances, de l'humiliation, de la néantisation de l'être. Que sont les mots d'avocat pour raconter la nuit des âmes, l'assassinat des enfants, la déchirure d'une mère, d'un père, les trains à bestiaux humains, les camps industriels de la destruction, la « serpillisation » des hommes, que sont les mots pour dire ce que les mots n'avaient jamais imaginé ? Le cri, oui, le cri, poussé comme dans un cauchemar par Sabina qui, tournée vers le box vide, s'interroge, semblant voir son bourreau : "Je le demande, les 44 enfants, c'était quoi ? Des maquisards ? Des résistants ? C'étaient des innocents." Oui, ce cri enferme l'ogre de la Gestapo dans l'incommensurabilité de son crime. Elle a tout dit, tout pleuré. Et la prétention de nos mots vide d'expérience douloureuse s'incline devant la mère des 44 victimes.

Si nous sommes là, c'est que nous croyons appartenir à la civilisation de la parole, le crime étant l'échec de la parole, la négation de l'autre. C'est pourquoi Jacques Vergès se permet beaucoup d'outrances, c'est pourquoi Klaus Barbie n'est plus là, face aux fantômes de ses victimes. On confronte ici l'image sereine de la justice à la grimace de l'injustice. Chaque avocat dépose en ce lieu, simplement un message, les morts ne reviendront pas, un message, celui des survivants, celui des parents des victimes, celui de la fragilité du bonheur, des heures en famille, des heures sans la peur, des nuits sans les puits, des silences sans les épouvantes, des visages sans les répugnances, des voisins sans les témoins délateurs. Nous avons le devoir, que cela plaise ou non, de rappeler à nos consciences confortables, que si tout a commencé sans que l'on s'en aperçoive ou, pire, sans que l'on veuille s'en apercevoir, par le mépris, la lâcheté devant la réalité, l'indifférence, l'apeuré commerce politique des places à conserver, tout processus comparable n'est pas devenu tout à fait impossible. Ce n'était pas en 1941, mais quarante ans plus tard, qu'un instituteur écologiste, maladivement féru de nazisme et collectionneur de totems hitlériens, assassinait un enfant de huit ans à coups de barre de fer et de poignard de combat. C'était non loin de la Sainte-Baume, en pleine Provence, à Auriol. Ce n'était pas un crime de fou, mais l'aboutissement idéologique minable d'une bande de tarés, les hommes du SAC, postier, instituteur, légionnaire, commerçants, des gens ordinaires, appréciés des voisins et amis de la police. C'était l'aboutissement d'un complot fomenté par un commando où l'on retrouvait ensemble, réunis par le principe du chef, le maître d'école, trois postiers, un baroudeur déchu, un faux colonel. Bilan, 8 morts, dont le petit Alexandre, 8 ans, presque l'âge des enfants d'Izieu. Un mal microscopique à l'échelle du mal universel. Le gigantisme de l'horreur ne se fabrique-t-il pas à partir des individualités qui y concourent ? On n'est pas en paix avec les démons de l'homme. On ne le sera jamais.

Vous allez juger Klaus Barbie, son sort ne fait pas de doute, mais en même temps sa descendance, les petits haineux de la vie, les concierges à cadavre, ceux qui persévèrent dans l'idéologie de la haine des autres. Soyons prudents, le monde n'a pas fini de nous faire frémir. Ce n'est pas seulement une période de l'histoire que vous allez avoir à juger à travers l'un de ses criminels, mais un système de salauds qui a, comme cela, des survivances, ici et là, sur la planète. Après avoir entendu tous les témoins, ceux de la baraque aux Juifs, ceux des interrogatoires impitoyables, ceux des crimes, ceux des déportations, ceux des humiliations quotidiennes, il ne nous reste d'audible que leur souffrance et leur incompréhension. Ce procès devrait nous obliger à répondre au regard suppliant du petit André : pourquoi me veulent-ils tant de mal ? Qu'est-ce que j'ai fait ? Pourquoi ? Répondre, tu étais juif, ils étaient racistes, nazis, antisémites, répond, certes, mais ne dit pas tout, car ces brutes étaient aussi des hommes qui avaient des femmes, des enfants, des yeux pour ne pas pleurer. Pourquoi ! Au-dessus de cet abîme, il nous faudrait pouvoir plonger dans les profondeurs ténébreuses de la conscience humaine pour comprendre. La nuit arrive à pas de loup avec les loups. L'enfant d'hier et d'aujourd'hui a peur des loups. Ici, on juge un loup dans une meute. Je n'ai aucun doute sur le verdict. L'enfant juif assassiné, ce sont tous les enfants du monde. "Pour ce crime odieux d'Izieu, il n'y a ni pardon ni oubli", a laissé entendre dans le chaos de son désespoir, la folle de douleur, Sabina Zlatin. Elle a raison ! Un verdict, c'est ici une seconde de justice dans un siècle d'injustice, de violence et de crimes planifiés. À l'échelle gigantesque de l'horreur, c'est peu, mais dans l'ordre symbolique c'est considérable. En fin de compte, au moment des comptes, c'est la civilisation du droit, de l'humanisme, qui triomphe. On juge un salaud en y mettant des formes dont il fut toute sa vie incapable. Son inhumanité ne méritait pas tant d'humanité. Simplement, et ce n'est pas rien, cet effort nous définit dans notre humanité. Un enfant nous y conduit par la main, du plus loin, de la nuit des assassinés. Si seulement un instant, il nous était possible de voir cette ribambelle d'enfants s'en aller main dans la main, inoffensifs, dans la lumière d'avril, de ce petit village perdu dans les contreforts du Bugey, encadrés de nazis goguenards, pour les camps d'extermination ; cet instant terrible, à lui seul, hurlerait le mal que notre colère a à demeurer dans les limites de la justice. Je n'ai pas de mots, au moment de cette vision intérieure, pour qualifier l'ordure nazie. Je suis à bout de mots. Qu'il crève en prison ! »

VERDICT :

Le 4 juillet 1987, la cour d'assises du Rhône a condamné Klaus Barbie à la réclusion criminelle à perpétuité.

Le procès de Dominique de Villepin

De mémoire de chroniqueur judiciaire, ce fut le procès le plus violent, le plus fou, le plus étrange de ces 25 dernières années. Il est vrai que les observateurs politiques les plus audacieux n'auraient sans doute jamais pu imaginer une situation aussi inédite sous la Ve : un président de la République en exercice poursuivant un ancien Premier ministre. Nicolas Sarkozy a porté plainte car il est convaincu d'avoir été victime d'un complot monté par Dominique de Villepin. Le chef de l'État a même promis de « pendre à un croc de boucher » l'auteur de cette manipulation. Dès le premier jour, le ton est donc donné : le « film » qui va se jouer devant le tribunal sera plein de bruit et fureur. Au premier jour du procès, le 27 septembre 2009, Dominique de Villepin arrive d'ailleurs au Palais de justice dans une cohue digne du festival de Cannes. Les photographes courent, les radios se bousculent, les équipes de télé jouent des coudes. Même les gendarmes d'ordinaire si placides s'agitent dans tous les sens. L'ancien Premier ministre, entouré par toute sa famille, s'arrête un instant devant l'entrée de la salle d'audience. Il se retourne vers la centaine de caméras et d'objectifs qui le mitraillent et délivre un message fracassant, véritable déclaration de guerre : « Je suis ici par la volonté d'un homme, je suis ici par l'acharnement d'un homme, Nicolas Sarkozy. J'en sortirai libre et blanchi au nom du peuple français. » Dominique de Villepin a bien pris soin de détacher chacun de ses mots. Il parle avec les mêmes accents dans la voix que le jour où il s'est exprimé à la tribune de l'ONU, pour dénoncer l'hégémonie américaine. Passé cette entrée en matière ultra-médiatique, le procès peut débuter. Durant trois semaines, le tribunal va plonger dans les méandres d'une histoire « abracadabrantesque ». En résumé, un mathématicien génial, mais quelque peu dérangé, Imad Lahoud, a réussi à convaincre un industriel, féru de renseignement et paranoïaque, Jean-Louis Gergorin, que des oligarques russes avaient corrompu la moitié de la classe politique française, à commencer par Nicolas Sarkozy. Toutes ces spéculations reposent sur des listings trafiqués émanant d'une obscure chambre de compensation basée au Luxembourg, baptisée Clearstream. Ce dossier, bien que délirant, aboutira cependant sur le bureau du Premier ministre, Dominique de Villepin. S'en est-il servi comme d'une arme pour abattre son adversaire politique de toujours, l'actuel chef de l'État ? C'est tout l'enjeu des débats. Au fil des audiences, impérial, rarement mis en difficulté, aidé même par le président de la République qui depuis les États-Unis fait des déclarations maladroites laissant entendre qu'il doit être condamné alors qu'il n'a pas encore été jugé, Dominique de Villepin ne cesse de marquer des points. Non, il n'était pas le seul au sein du gouvernement à avoir eu vent de cette folle machination, le ministre de l'Intérieur, et encore plus la ministre de la Défense étaient eux aussi parfaitement au courant. Non, il n'y a pas la moindre preuve qu'il ait initié ou encouragé le complot en transmettant le « dossier Clearstream » à un juge d'instruction. Quant au procureur qui lui reproche de n'être pas intervenu pour stopper la calomnie, qu'il relise ses manuels de droit, répond en substance Villepin : la loi, dit-il, ne réprime pas ou uniquement dans des cas très exceptionnels le « délit par abstention ». Pour sa défense, l'ancien Premier ministre est assisté par une équipe de quatre avocats. Le plus en vue est certainement Olivier Metzner. Ce pénaliste chevronné a commencé sa carrière en défendant des voyous. Il étudie alors avec la passion d'un entomologiste les dossiers d'accusation montés contre ses clients et y déniche souvent quelques erreurs de procédure qui lui permettent d'obtenir nombre de relaxes inespérées. Lorsque arrive la vague des « affaires politico-financières », il se met au service des grands patrons et devient, peu à peu, l'avocat préféré du CAC 40. Discret, pudique, voire timide, il apparaît rarement sous les feux de la rampe. C'est pendant l'affaire Bertrand Cantat qu'il va se frotter aux médias et devenir célèbre. Il prend la défense du chanteur de Noir Désir et obtient un excellent verdict devant les assises de Vilnius en Lituanie. Depuis, il est partout. Avocat de Jean-Marie Messier, du général Noriega, des P-DG de Yahoo ou de Moulinex, de Nike, de Jérôme Kerviel, ou encore de Françoise Bettencourt Meyers. Au fil du temps, le réservé Olivier Metzner s'est transformé en avocat frondeur avec une liberté de ton et un esprit d'indépendance qui lui font oser ce que beaucoup de ses confrères n'osent pas ou n'osent plus.

Luc Brossolette est le premier des quatre avocats de l'ancien Premier ministre à prendre la parole. C'est sans aucun doute parmi les « mousquetaires » de Villepin celui qui connaît le mieux les arcanes de ce dossier politico-judiciaire tentaculaire. Il s'attaque sabre au clair à la forteresse Rondot. Les petits carnets du général constituent en effet la pièce maîtresse de l'accusation, la preuve aux yeux du ministère public de l'acharnement dont Dominique de Villepin aurait fait preuve pour piéger Nicolas Sarkozy. Durant près de deux heures, Luc Brossolette plaide avec panache, sans retenir ses coups. Une plaidoirie fiévreuse dans laquelle il s'emploie à torpiller le témoignage de l'encombrant général.

Luc Brossolette

« Je suis sûr que Philippe Rondot est un homme bien. Mais je sais aussi que, dans cette affaire, il a des raisons pour ne pas dire toute la vérité. Le général Rondot n'est ni un témoin canonisé ni un observateur neutre. Bien au contraire, c'est un témoin impliqué. C'est un général qui rédige des rapports de "couverture", un militaire qui ment pour couvrir et se couvrir ! Sa première mission n'est-elle pas de défendre la ministre de la Défense, Michèle Alliot-Marie ? Il se doit de protéger sa ministre parce qu'elle aussi a eu connaissance des listings trafiqués. Dominique de Villepin n'était pas le seul à savoir que le nom de Nicolas Sarkozy figurait sur ces listes frelatées. Non, Madame la ministre, elle aussi a su très tôt que le nom de Nicolas Sarkozy était cité et qu'a-t-elle fait ? Rien. Elle s'est abritée prudemment dans le silence. Philippe Rondot couvre donc sa hiérarchie mais il cherche surtout à se couvrir lui-même. Lui, ce général ambitieux qui, grâce aux informations transmises par Imad Lahoud, rêvait d'être celui qui arrêterait Ben Laden ! Rondot est un enquêteur qui cherche à dissimuler la vanité de son enquête et qui veut nous faire croire qu'il a été lucide. Mais est-il si fiable ce haut gradé ? N'a-t-il pas refusé de témoigner au début de l'affaire, exigeant d'obtenir le statut de témoin assisté ? Ce chantage ne lui a-t-il pas permis d'avoir accès au dossier ? Et ensuite, ce général n'a-t-il pas détruit des preuves ? En réalité, je vous le dis : droit comme un "i", vous avez un général qui ment, un général qui a une vérité orientée, reconstruite.

Maintenant les carnets… Quinze lignes résument sa réunion avec Dominique de Villepin, le 19 juillet 2004, ce jour fameux, où il écrit : "Si nous apparaissons, le président de la République et moi, nous sautons." Voilà, c'est tout, quinze lignes pour résumer une heure de rendez-vous, il faudrait en savoir plus sur ce dialogue, beaucoup plus. C'est cela la justice ? Faire de ces notes la preuve d'une culpabilité ? Avons-nous perdu l'esprit ? Prenons cette salle d'audience, relevons les notes de chacun, et nous verrons que nous n'assistons pas au même procès. Oui, les notes de Rondot sont impressionnistes, nécessairement !

Elle n'est pas digne cette information judiciaire qui repose sur une interprétation fallacieuse de rapports tronqués ! On a traîné un homme dans la boue pour une accusation qui n'a pas existé. C'est un acte d'injustice. Ce dossier porte l'empreinte d'un homme (Nicolas Sarkozy) obnubilé, quasi hystérique, d'un prince capricieux. On le sait aujourd'hui, c'est un procès politique, un triste procès politique. »

Olivier d'Antin, second conseil de Dominique de Villepin, un avocat spécialisé en droit de la presse fustige un autre protagoniste du scandale Clearstream : Jean-Louis Gergorin, l'ancien numéro deux d'EADS.

Olivier d'Antin

« L'erreur initiale de ce dossier, c'est d'en faire un dossier politique alors qu'il s'agit d'une rivalité industrielle. Monsieur Gergorin, empêtré dans vos théories du complot, prisonnier de votre passion paranoïaque pour le monde du renseignement, vous n'aviez, contrairement à ce que vous soutenez, aucun besoin du quitus de Dominique de Villepin pour aller voir le juge d'instruction. C'est vous et vous seul qui avez choisi de dénoncer. On vous a surnommé le "corbeau". Moi je ne sais si, dans cette sombre affaire, vous êtes un corbeau ou un pigeon, vous êtes en tout cas un drôle d'oiseau. »

Olivier Metzner rentre alors en lice. D'un pas lourd, il s'avance vers son pupitre. Ce ténor habitué depuis de nombreuses années à plaider tout en rondeur va en cette occasion apparaître sous un tout nouveau visage. Ironique, féroce, même cruel. Durant une heure, il défend pied à pied Dominique de Villepin, avec une cible unique dans son viseur : Nicolas Sarkozy.

« Contrairement à Dominique de Villepin, je ne suis pas arrivé à cette audience le cœur léger. Je plaiderai le cœur lourd. Comme à chaque fois où je défends un homme ou une femme, quels qu'ils soient, et que je sais que, de ces quelques mots, l'avenir de cette personne dépend.

Pendant quatre ans, la justice a été endormie par Clearstream, Clearstream par-ci, Clearstream par-là. Plus aucun autre dossier ne semblait exister. C'était l'affaire du siècle. Au pôle financier du Palais de justice de Paris, les dossiers Vivendi et Messier pouvaient attendre, la fraude présumée du comité d'entreprise d'EDF aussi. Pendant des mois, le juge d'instruction chargé de l'affaire Clearstream a annulé toutes les convocations dans toutes les autres procédures qu'il était pourtant censé suivre… Et l'on vient nous dire que c'est un procès comme les autres ! Avec une partie civile qui est président de la République !

Une partie civile qui nomme les magistrats qui jugent et qui choisit les procureurs qui requièrent. Une partie civile qui se cache derrière son immunité présidentielle. Une partie civile tellement ordinaire qu'elle dispose des discours du secrétaire général de l'Élysée, et des lumières d'un conseiller spécial pour les affaires de justice pour la défendre… Allons donc… C'est bien connu, dans tous les procès ordinaires le président de la République demande qu'on pende les prévenus à des crocs de boucher, tandis que le procureur croit utile de se déplacer dans les médias pour requérir radiophoniquement leurs condamnations. Non, ce n'est pas un procès ordinaire, c'est tout le contraire du droit !

Ce dossier a été construit à l'envers. On a une cible, on en déduit un tireur et on essaie ensuite de tracer une ligne entre les deux. Dans le nom de Nicolas Sarkozy, on veut forcément voir l'empreinte de Dominique de Villepin. Comme si les procureurs avaient décrété une nouvelle jurisprudence : toute agression contre Nicolas Sarkozy est forcément signée Dominique de Villepin. On a désespérément cherché un mobile, mais comme on sent que tout cela est faible, on va tisser une toile d'araignée mais cette toile n'est reliée à rien. Il n'y a à l'encontre de Dominique de Villepin aucune infraction pénale. Monsieur le procureur de la République, vous voyez dans la manipulation qui a visé le président de la république, la patte de Monsieur de Villepin, on lui prête un esprit machiavélique, on veut faire des faux listings, un complot organisé, pensé, réfléchi, mais des faux comme cela, je peux en fabriquer tous les week-ends. Il n'y a jamais marqué Clearstream et ce ne sont pas des relevés bancaires. Qui ces faux pouvaient-ils réellement abuser ? J'imagine Stéphane Bocsa et Paul de Nagy (les deux patronymes de Nicolas Sarkozy) se présentant à l'enseigne Clearstream, munis de ces listings, en disant : "J'ai un document qui dit que j'ai de l'argent, voulez-vous m'en donner ?" Vous croyez une seconde qu'ils vont repartir avec les poches remplies de billets ? En réalité, ces listings n'accusent personne, on leur prête un pouvoir de nuisance qu'ils n'ont pas. Tout comme on parle dans ce dossier de recel, de vol, c'est tout juste si on n'accuse pas les prévenus d'avoir volé la mobylette de Jean Sarkozy… Non, rassurez-vous, Monsieur Dominique de Villepin n'est pour rien dans le vol du scooter du fils du président de la République.

En vérité, nous sommes face à une contagion aiguë de paranoïa. Une épidémie qui semble avoir frappé nombre de parties civiles. Ces personnes sont venues régler leurs comptes avec Dominique de Villepin. Et puis, il faut bien exister et pour exister, il faut charger

Dominique de Villepin. C'est tellement plus chic de plaider contre lui. Je ne m'arrêterai que sur quelques noms. Arcady Gaydamak... il veut se victimiser, il s'est trompé de salle d'audience, le procès de l'Angolagate c'est à côté ! Charles Pasqua... c'est vrai que lui il commence à bien connaître la 11e chambre correction-nelle ! Alain Madelin, son avocat est venu vous dire que Villepin était coupable en raison d'un rendez-vous qu'il situe le 21 avril 2004. Eh bien, sachez qu'il invente une rencontre qui n'existe pas. Dommage... il n'a pas ouvert le dossier.

Que viennent faire ici toutes ces "soi-disant" parties civiles. La vraie partie civile, il n'y en a qu'une seule, présidentielle. Une partie qui tente, par son omnipré-sence, d'interférer sur la procédure judiciaire. Mais si la culpabilité de Dominique de Villepin est tellement évidente, pourquoi avoir besoin de l'extérieur ? Pour-quoi multiplier les rodomontades ? Pourquoi dire qu'on va pendre Villepin à un croc de boucher ? Remarquez qu'à l'époque, la mode n'était pas encore au Karcher...

Enfin, Monsieur le procureur, il y a la qualification que vous avez retenue contre Dominique de Villepin : un délit par abstention. À vous en croire, Dominique de Villepin serait coupable parce qu'il n'est pas inter-venu. Il serait coupable parce qu'il n'a pas stoppé la manipulation contre le Président.

J'ai qualifié cette accusation d'acrobatique et d'auda-cieuse. Je ne regrette pas ces propos. Coupable parce qu'on n'a rien fait, ça me choque ! Dans votre réquisi-toire, vous vous êtes basé sur des affaires précédentes où le délit par abstention avait été retenu par les tribu-naux. J'aurais aimé citer le professeur de droit sur lequel vous vous êtes appuyé. Dans tous les manuels, il y a toujours un chapitre sur la complicité par abstention, mais il est vide ! Surtout, les exemples que vous avez cités ne sont en rien comparables avec la situation dans laquelle s'est trouvé imbriqué Dominique de Villepin. Le patron de bistrot qui s'est abstenu de faire cesser le tapage, le banquier qui ne vérifie pas les comptes de son client… point besoin d'être un fin juriste pour constater que ces dossiers n'ont rien de commun avec l'affaire Clearstream. Nous avons sous les yeux les mêmes jurisprudences, mais je n'ai pas la même interprétation que vous. Jamais on n'a condamné quelqu'un en France pour avoir empêché de faire quelque chose ! Vous ne pourrez en droit et en fait que relaxer Dominique de Villepin. »

Le mot de la fin revient au dernier des mousquetaires de l'ancien Premier ministre, le vieux lion des prétoires : Henri Leclerc.

Henri Leclerc

« Danton, Marie-Antoinette, Robespierre ont été jugés dans cette même salle, et maintenant vous Dominique de Villepin. J'ai lu l'intégralité de l'ordonnance signée par les deux juges d'instruction qui ont demandé votre renvoi devant ce tribunal. Il n'y a pas un seul mot à décharge. Tout est construit pour fabriquer un coupable. Cela ne me surprend guère, Dominique de Villepin ne peut être innocent… S'il était innocent, vous imaginez la tête que ferait le président de la République ! Quand le président de la République, garant de l'indépendance de la justice, désigne un coupable, il désigne Dominique de Villepin parce qu'il veut sa peau ! Nicolas Sarkozy a dit qu'il fallait le pendre à un croc de boucher, qu'il fallait le pulvériser. L'empereur a baissé son pouce, il faut condamner. Cela fait 50 ans que je plaide et je n'ai jamais vu un tel acharnement !

Monsieur le procureur de la République, je vous connais, cela ne vous ressemble pas de porter une attaque aussi vilaine sur un homme contre lequel on n'a aucune preuve. On n'a pas le droit de salir un homme avec des sous-entendus. Vous l'avez accusé de forfaiture, vous n'aviez pas le droit ! Mais que vouliez-vous qu'il fît ? Il n'était pas le seul à connaître les accusations formulées par Jean-Louis Gergorin contre le chef de l'État. Le ministère de la Justice, le ministère de la Défense, le ministère de l'Intérieur, tout le monde savait, mais personne n'a songé à faire quelque chose. Et quoi faire ? Convaincre Jean-Louis Gergorin de se mettre à genoux place de la Concorde et de supplier : "Voilà ce que j'ai fait, je ne recommencerai plus !" Dominique de Villepin n'a rien fait parce qu'il n'y avait rien à faire. La culpabilité par abstention est impensable. Vous n'en avez pas la possibilité et le droit vous l'interdit.

Mesdames et messieurs du Tribunal, vous avez entre les mains quelque chose de formidable : l'honneur de la justice. J'ai toujours fait confiance aux juges, parfois je l'ai regretté. Mais je sais que vous faites le métier le plus beau, vous jugez les hommes en votre âme et conscience. L'honneur de la République et de la justice est entre vos mains, défendez-le ! Vous ne pouvez le défendre qu'en acquittant Dominique de Villepin. »

JUGEMENT :

Le 28 janvier 2010, le tribunal correctionnel de Paris a relaxé Dominique de Villepin. Le parquet a fait appel de cette décision. Un second procès est donc prévu dans le courant de l'année 2011.

Le procès de Maurice Papon

« Tout cela ne m'émeut pas beaucoup. » Une phrase lapidaire qui résonne comme une insulte à la mémoire des déportés… C'est avec ces mots méprisants qu'en 1981, Maurice Papon réagit aux premières accusations portées contre lui dans *Le Canard Enchaîné* en pleine période d'élections présidentielles. À l'époque, il est encore ministre du Budget du gouvernement de Raymond Barre. Seize ans plus tard, le 7 octobre 1997, après une interminable traque judiciaire, l'ancien haut fonctionnaire du régime de Vichy se présente devant la maison d'arrêt de Gradignan en Gironde pour y être incarcéré. Son procès s'ouvre le lendemain et la France s'apprête à juger à travers lui l'une des pages les plus sombres de son histoire. Les acteurs de cette audience hors normes ne le savent pas encore mais ils vont participer au plus long procès de l'Histoire de France – il va durer près de six mois – plus long même que celui de Jeanne d'Arc. Maurice Papon est un homme âgé – il a 87 ans – et son avocat, Jean-Marc Varaut détaille le bulletin de santé de l'accusé dès l'ouverture des débats. L'ancien ministre a été opéré d'un triple pontage coronarien et souffre de crises d'angines de poitrine qui peuvent se compliquer d'œdème du poumon. L'avocat réclame avec force la libération du « plus vieux prisonnier du monde ». La cour d'assises obtempère, l'accusé comparaîtra donc libre. Une décision lourde de conséquence : après le prononcé de sa condamnation, Maurice Papon pourra prendre la fuite et se réfugier un temps en Suisse, avant finalement de se rendre aux autorités.

En attendant, à Bordeaux, face aux douze jurés, il doit répondre d'une terrible accusation : une complicité de crime contre l'humanité pour avoir, en tant que secrétaire général de la préfecture entre 1942 et 1944, aidé et facilité l'organisation de nombreuses rafles de Juifs. Le 15 octobre, il s'exprime une première fois. Debout, mains jointes dans le dos, il déroule les neuf décennies du film de sa vie. D'emblée, le prétoire est stupéfié par l'aisance de sa parole. La mémoire est intacte, le verbe clair, le style précis et incisif. Maurice Papon discourt comme s'il se trouvait face à un parterre de députés ou de sénateurs. C'est l'antithèse d'un Paul Touvier, qui lors de son procès, diminué physiquement, s'avéra incapable d'aligner plus d'une phrase. Les quarante avocats représentant les victimes de la Shoah comprennent que le combat face à un tel adversaire sera rude et incertain. Ils vont devoir batailler pour obtenir un verdict de condamnation. D'octobre à avril, les audiences se succèdent, parfois entrecoupées par des « pauses médicales » : l'ancien ministre sera hospitalisé plusieurs fois pendant les débats. Semaine après semaine, le procès, tel un bateau qui s'enfonce dans la brume, revisite les méandres de la collaboration et le rôle des hauts fonctionnaires du gouvernement pétainiste. Londres ou Vichy ? Partir ou rester ? Démissionner ou obéir ? Un individu peut-il être considéré comme responsable lorsqu'il est le maillon d'une chaîne de décisions ? En dehors de l'enceinte judiciaire, de nombreuses voix dénoncent la « culture de la repentance » et jugent inutile de raviver les anciennes blessures. Pourtant, les débats à l'audience font apparaître l'écrasante responsabilité du régime de Vichy dans l'extermination des Juifs de France. Maurice Papon, fidèle à la position qu'il a toujours adoptée, continue de nier, farouchement. Il affirme n'avoir fait qu'obéir aux injonctions de l'occupant et surtout, inlassablement, il soutient avoir tout ignoré du sort qui était réservé aux déportés qui partaient de Bordeaux, direction Drancy, puis arrivaient dans les camps d'extermination en Pologne. Une seule fois, une seule, il sera pris en défaut : le jour où il dit avoir pleuré avec sa femme un soir de Noël 1943, après qu'un nouveau convoi est parti de Bordeaux. Le président de la cour, Jean-Louis Castagnède, lui fait alors remarquer : « Si vous pleuriez à Noël 1943, n'est-ce donc pas que vous connaissiez le sort qui leur était réservé ? » Cette fois-là, Maurice Papon est resté coi. Mi-mars, au cinquième mois du procès, alors que l'avocat général s'apprête à requérir vingt ans de réclusion criminelle, le temps des débats s'achève et sonne l'heure des plaidoiries. Nous en avons retenu trois. Celle d'Arno Klarsfeld, tout d'abord. Le jeune « dandy des prétoires » trop photographié, agace avec ses cheveux longs et ses rollers. Imprévisible, il n'a pas hésité à remettre en cause la légitimité du président de la cour d'assises. Ses confrères lui en ont beaucoup voulu. Mais Arno Klarsfeld est bien plus qu'un simple trublion. Après s'être concerté avec son père Serge, le « chasseur de nazis », il a volontairement bousculé la stratégie élaborée par les autres avocats des parties civiles. Pour les Klarsfeld, père et fils, il est en effet nécessaire, au regard de la vérité historique, d'établir une échelle des peines entre les nazis et leurs complices. À leurs yeux, Maurice Papon est coupable de crimes contre l'humanité mais il ne mérite pas la peine maximale. Arno Klarsfeld va parler durant deux heures. Peut-on dire qu'il a véritablement plaidé ? Le ton est monocorde, il lit son texte, parfois le débite au pas de charge. Et pourtant, la magie de la cour d'assises opère, le jeune Klarsfeld arrive à transmettre une incroyable émotion. À travers sa voix éraillée, les petites victimes de la Shoah racontent l'indicible.

PLAIDOIRIE PRONONCÉE PAR ARNO KLARSFELD,
AVOCAT DES PARTIES, LE 10 MARS 1998
DEVANT LA COUR D'ASSISES DE BORDEAUX
LORS DU PROCÈS DE MAURICE PAPON.

« Tous ces visages… Je représente Ita et Jacky Junger. Ita avait 7 ans, Jacky en avait 3. Ils étaient nés en France. Sur la photo, Ita se tient aux côtés de son frère. Ita sourit à ses parents, Jacky fixe l'objectif, un peu boudeur. Instant de vie qui a traversé le temps pour réapparaître fugace devant nous sur ces écrans, à présent remontés, où, audience après audience, on a regardé, examiné, scruté notes, lettres et comptes rendus à la recherche d'une signature, d'initiales ou d'une explication.

Sur ces écrans au cours de ces cinq mois, on a vu surtout se superposer des listes. Audience après audience, des listes, des dizaines de listes interminables, listes sur lesquelles nous recherchions des noms, exhumés des archives, des noms exhumés de l'oubli. Lorsque Maurice Papon affirme qu'il existe deux réalités, il n'a pas tort. L'une, affective, classe, efface et parfois modifie les moments vécus, une réalité *a posteriori*, la réalité des souvenirs. La seconde, qui ne classe pas, n'efface pas, ne modifie pas les moments passés mais les restitue tels qu'en eux-mêmes : la réalité des archives, la réalité des listes. Les listes comme les archives ne mentent pas, elles ne trompent pas.

Sur 75 000 Juifs déportés, 11 000 enfants. Sur 75 000 Juifs déportés, 1 500 venaient de Bordeaux. Sur ces 1 500 déportés de Bordeaux, 220 étaient des enfants. Sur les listes, ils se succèdent parfois à la queue leu leu, accrochés à un père ou à une mère, ou alors seuls, désemparés entre deux noms de famille qui ne sont pas de leur famille. Ces noms longtemps oubliés, assoupis dans un long sommeil de plus d'un demi-siècle nous sont à présents familiers.

Ceux qui ont fait le voyage jusqu'à Auschwitz savent qu'en dépit du temps, en dépit de ces cinquante-sept ans passés, le ciel polonais, où s'échappaient naguère les fumées des crématoires, conserve en mémoire le cri d'un peuple qu'on assassine. "Tout cela ne m'émeut pas beaucoup" ! déclarait Maurice Papon au journal *Le Monde* le 7 mai 1981, au lendemain des révélations sur son implication personnelle dans la déportation de plus de 1 500 Juifs, hommes, femmes et enfants de la région de Bordeaux entre 1942 et 1944. Lorsque, seize ans plus tard, Paul Amar le confronte aux visages de Rachel et Nelly Stopnicki, ces deux fillettes ramenées par son service des questions juives et versées *in extremis* dans le convoi du 26 août 1942 emportant dans ses wagons 79 autres enfants de moins de 16 ans, Maurice Papon, les balaie d'un geste excédé : "Maurice Papon, si cela était à refaire, le referiez-vous ?

— Oui, si c'était à refaire, je le referais !"

Peu d'événements émeuvent Maurice Papon.

Lorsqu'il pleure sur un convoi de déportés, il choisit comme réceptacle de ses larmes le seul, l'unique convoi pour lequel les familles juives ont été arrêtées par les Allemands alors que pour tous les autres, pour les 9 autres convois pour Drancy, des familles identiques dans la peine et la souffrance ont été raflées puis transférées à Drancy par une police française aux ordres du secrétaire général pour le préfet régional. Peu d'événements émeuvent Maurice Papon.

Pourtant il y a seize ans, en 1981, Maurice Papon aurait pu choisir d'entrer dans l'histoire comme un exemple. Il aurait pu choisir de condamner l'homme qu'il avait été quarante ans auparavant et les actes qu'il avait commis. Il aurait pu choisir, s'il avait eu la notion de la grandeur de la France, de faire œuvre pédagogique pour les générations futures de hauts fonctionnaires appelés à diriger. Il aurait pu expliquer à quelles tragédies peuvent conduire le souci de la carrière, la quête de l'intérêt et l'absence de compassion. Une lettre de regrets sans complaisance écrite par un ministre de 70 ans sur le mal commis par un secrétaire général de préfecture régional de 32 ans aurait, peut-être, en partie, contribué à racheter le mal commis. Mais l'homme n'a pas changé : "si c'était à refaire, je le referais !". Maurice Papon n'a eu ni la volonté ni l'abnégation nécessaires pour se hisser au-dessus de lui-même, pour accomplir ce que les auteurs et les philosophes qu'il aime à citer lui murmuraient, sans doute, non dans le creux de l'oreille mais dans celui de sa conscience. Ce n'est pas à l'éducation, à la culture ni aux postes qu'on juge un homme, Maurice Papon, c'est aux actes qu'il accomplit et aux sacrifices qu'il consent.

Sautant d'une IIIe République agonisante à un régime placé sous le signe de la Révolution nationale et de l'antisémitisme d'État, puis à une IVe et à une Ve République, Maurice Papon s'est toujours efforcé d'être du côté du pouvoir, du plus fort et des honneurs. Pour demeurer à cette place où il avait pris l'habitude d'être, Maurice Papon a été contraint, par la force des choses et par son choix personnel, à tout nier en bloc. Nier en dépit des évidences.

Il y a bientôt soixante ans, en pleine civilisation, en se servant de procédés méthodiques, la cruauté raciale nazie a atteint son paroxysme. [...] Pour mener à bien cette colossale entreprise d'extermination, il a fallu deux catégories de criminels : ceux qui perpétraient directement les assassinats massifs, la base de cette hiérarchie du crime et ceux qui tuaient de derrière leurs bureaux, ceux qui donnaient des ordres de tuer ou dont les activités contribuaient à l'organisation du crime. Maurice Papon a accompli sans enthousiasme mais avec une redoutable efficacité les instructions des nazis en prenant soin de se couvrir auprès de ses supérieurs hiérarchiques. On ne trouve pas en Maurice Papon une volonté haineuse d'accomplir le mal, on trouve en revanche une froide volonté de s'y associer en pleine connaissance de cause et cela afin de promouvoir sa carrière. La "carrière", maître mot de ces jeunes hauts fonctionnaires, tels Bousquet, Leguay ou Papon, issus d'un même milieu, des mêmes écoles, s'étant assis sur les mêmes bancs des mêmes facultés et partageant la même avidité de pouvoir et de reconnaissance sociale. Tous ces beaux parcours de jeunes hommes pressés qui conduiront l'un à fournir aux nazis l'indispensable police française pour rafler les familles juives, le deuxième à négocier les rafles sur l'ensemble de la zone occupée et le troisième à rassembler, pour les livrer au bourreau nazi, les familles juives de la région de Bordeaux.

"Quand je me suis installé dans mes meubles à la préfecture, a dit Maurice Papon, j'étais un jeune fonctionnaire sans expérience." Un peu plus de franchise, Maurice Papon, ou moins de modestie ! Quand il s'installe à Bordeaux en juin 1942, Maurice Papon a déjà une longue expérience administrative derrière lui. Sept années pour un jeune homme anxieux d'arriver, qui, selon ses propres dires, est curieux d'observer pour comprendre et appliquer, sont suffisantes pour connaître les hommes et les mécanismes. Sept années passées au ministère de l'Intérieur.

Le jeune Maurice Papon qui s'installe à Bordeaux en juin 1942 n'est pas un antisémite farouche, il n'est pas non plus hitlérien, il accepte cependant la responsabilité du service des Questions juives de la préfecture de Bordeaux en zone occupée. Un Maurice Papon qui sait déjà que plusieurs milliers de Juifs sont morts de malnutrition et des conditions d'hygiène effroyables des camps d'internement français. Il l'accepte parce qu'il pense que l'Allemagne va gagner la guerre. Il l'accepte parce qu'il sait que son gouvernement veut sa place dans la nouvelle Europe nazie. Il l'accepte parce que, Maurice Papon, lui aussi, veut une place et une place éminente dans cette nouvelle Europe, dirigée par les nazis et dans cette nouvelle France, forgée par la révolution nationale. Il l'accepte enfin parce que le service des Questions juives est un poste de responsabilité.

Au cours de l'une des audiences, Maurice Papon a affirmé que nul n'avait songé à comparer les listes de transfert aux listes de déportation, laissant évidemment entendre par là que certains des enfants auraient pu être sauvés à Drancy et, en ce cas, il s'en serait attribué le mérite. J'ai effectué ce travail pour les 81 enfants transférés de la gare Saint-Jean à Drancy le 26 août 1942. 30 de ces 81 enfants sont quasi immédiatement partis par le convoi du 31 août 1942 vers Auschwitz. Ce convoi emportait avec lui 950 déportés. À la libération du camp, sur ces 950 déportés, 6 hommes avaient survécu, aucune femme et aucun enfant. 2 de ces 81 enfants sont partis par le convoi du 2 septembre 1942 vers Auschwitz. Ce convoi emportait avec lui 1 016 déportés. À la libération du camp, sur ces 1 016 déportés, 30 hommes avaient survécu, aucune femme et aucun enfant. 5 de ces enfants, dont les 4 enfants Griff, sont partis par le convoi du 11 septembre 1942. Dans ce convoi, 1 000 déportés. À la libération d'Auschwitz, sur ces 1 000 êtres humains que transportait ce convoi, 13 hommes avaient survécu, aucune femme et aucun enfant. 7 de ces enfants sont partis par le convoi du 14 septembre 1942. En tout, ils étaient 1 000 dans les wagons de ce convoi. À la libération du camp, 45 hommes avaient survécu, aucune femme et aucun enfant. 3 de ces enfants sont partis par le convoi du 18 septembre 1942. Il y avait 171 enfants en tout dans ce convoi qui comprenait 1 000 déportés. À la libération du camp, 22 hommes avaient survécu, aucune femme et aucun enfant. 31 enfants sont partis par le convoi du 21 septembre 1942. 175 enfants sur les 1 000 Juifs de ce convoi. À la libération du camp, 29 hommes avaient survécu, aucune femme et aucun enfant.

Oui, Maurice Papon, j'ai effectué ce travail et vous ne pourrez pas faire arguer par votre défenseur qu'on ne sait pas quel a été le sort de ces enfants. Ce travail, je ne l'aurais certainement pas effectué si je ne l'avais vu faire, par quelqu'un d'autre, sur une échelle malheureusement autrement plus vaste. Des nuits entières, des années entières, je l'ai vu à la recherche du nom d'un enfant juif, d'une date ou d'un lieu de naissance, d'une adresse ou d'une commune, d'un lieu d'arrestation ou de détention. À la recherche aussi de l'ombre de visages sur des photos jaunies. Cet homme, je l'ai vu aussi compter des noms sur les listes, des noms qui n'étaient pas destinés à devenir des "noms sur les listes" mais à vivre, aimer et transmettre. Cet homme ne comptait pas seulement les noms, il leur restituait leur état civil, leur itinéraire, leur dignité. Cet homme les arrachait à la nuit de l'oubli, il les ramenait à la lumière du jour. Par son travail, il les extrayait de l'anonymat. D'objets de l'histoire, cet homme transformait ces milliers de victimes en sujets de l'histoire. De ces noms que vous avez voulu nier, de ces noms que vous avez voulu jeter dans l'oubli du temps, il faisait à nouveau des êtres humains. Et c'est contre cet homme, mon père, que vous avez jeté votre ultime vilenie, en portant plainte contre lui pour avoir fait pression sur la justice alors que c'est sur l'histoire qu'il a fait pression afin qu'elle dise, enfin, la vérité.

1942-1998, plus d'un demi-siècle. C'est sans doute la première fois dans l'histoire de l'humanité que ceux en charge de juger un homme auront vu le jour postérieurement au crime commis. Cela peut donner le vertige. Cela ne doit pas effrayer. Jamais sans doute aussi un criminel aura si peu fui et aura autant recherché les hauts postes et les honneurs alors qu'il avait contribué à souiller l'image du pays qu'il disait servir. Alors que Paul Touvier faisait cavale, cherchant refuge d'un monastère à l'autre, Maurice Papon faisait carrière, passant d'une préfecture à l'autre, entrant à l'Assemblée nationale pour achever la plus brillante carrière d'un haut fonctionnaire de Vichy finissant par siéger dans un gouvernement de la Ve République.

La déportation de 75 000 Juifs de France dont 11 000 enfants est un crime contre l'humanité. Ce crime contre l'humanité est le résultat d'une longue chaîne politique, administrative et policière. On doit s'efforcer de juger les maillons de cette chaîne en fonction de leurs responsabilités respectives. Maurice Papon a été un maillon intermédiaire de cette chaîne. Voilà pourquoi sa condamnation est indispensable. Indispensable par exemple pour la mémoire de ces 11 enfants juifs que Maurice Papon a choisi de livrer en août 1942 aux barbares nazis alors qu'il pouvait, sans risque personnel aucun, les faire disperser. Indispensable aussi pour la mémoire du peuple français qui, contrairement à ses élites, a voulu et su réagir, pendant l'été 1942, lorsqu'il comprit que les familles juives arrêtées par la police française étaient convoyées vers la mort. Indispensable pour tous ceux qui, à l'instar de Maurice Papon, auraient pu mais ont choisi de ne pas faire carrière au sein d'un régime qui, de sa seule initiative, a décidé de faire des Juifs des boucs émissaires de la défaite. Indispensable pour les futures générations de Français afin que soit clairement et, espérons-le, définitivement condamnée une administration prête à apporter son concours à des mesures ignominieuses du moment qu'elles se trouvent couvertes par des instructions hiérarchiques. Indispensable pour les familles des victimes qui attendent depuis plus d'un demi-siècle que justice leur soit rendue.

Les Fils et Filles des déportés juifs de France, et les autres parties civiles que je représente, les familles de tous ces enfants : Rachel et Nelly Stopnicki, Jacques et Jacqueline Junger, Jacqueline Grunberg, Henri et Jeanine Plevinski, Jeannette, Maurice, Simon et Léon Griff, André et Arlette Sztajner qui m'ont accompagné pendant toute la durée de ce procès, vous font confiance, Mesdames et Messieurs les jurés, pour que vous condamniez Maurice Papon à la peine qui vous semblera équitable et qui deviendra de ce fait une peine exemplaire. »

Ce jour-là, la salle est comble. Le barreau de Bordeaux n'aurait, pour rien au monde, voulu rater l'événement, des avocats parisiens ont fait le déplacement, ses quarante confrères des parties civiles attendent, suspendus à ses lèvres… Jean-Marc Varaut se lève, sa voix rauque, sereine, qui semble vous hypnotiser, retentit dans le prétoire ; l'avocat entame l'une des plus intenses, des plus mémorables, des plus longues plaidoiries jamais prononcées dans une cour d'assises. Il parle durant quatre après-midi. En 2002, il racontait cet instant si particulier où le défenseur debout, face aux jurés, s'apprête à prononcer ses premières phrases : « J'ai le cœur qui bat plus vite que d'ordinaire. Je gonfle ma poitrine du souffle nécessaire pour soutenir les premiers mots de l'exorde. Cet instant doit tout à la fois dissiper le trac toujours présent, plus ou moins intense selon les circonstances de la cause, et capter l'attention bienveillante de l'auditoire obligé. Je garde le silence quelques fractions de seconde, quelques secondes si je le puis, pour que me regardent ceux que je regarde les yeux dans les yeux ; car l'œil aussi écoute. Le silence qui précède la parole fait partie de la parole. » Juriste, philosophe, historien, monarchiste et fervent catholique, Jean-Marc Varaut a défendu Maurice Papon avec la profonde conviction que l'ancien secrétaire général de la préfecture de Gironde n'avait pas, cinquante-quatre ans après la fin de la guerre, à rendre compte de ses actes devant les jurés. Il était persuadé qu'il s'agissait d'une hérésie, tout à la fois au regard de l'histoire et de la justice.

PLAIDOIRIE PRONONCÉE PAR JEAN-MARC VARAUT,
L'AVOCAT DE MAURICE PAPON,
LES 24, 30, 31 MARS ET 1er AVRIL 1998
DEVANT LA COUR D'ASSISES DE LA GIRONDE.

« Peuple français ! Peuple français, c'est à toi que je parle ! Peuple prompt à juger mais aussi peuple juste qui revient sur ses jugements quand le temps lui est donné de mesurer ce qui sépare le mensonge triomphant de la réalité d'un temps où il était plus difficile de connaître son devoir que de le suivre. Oui, il y avait deux types de sauveurs, les uns au-dehors, libres dans les combats ; les autres, au-dedans de la longue nuit de l'Occupation, voués à un autre combat, celui de la patience. Au cours de ces longues journées, ont été relevées des bribes de vérité sinon des vérités enfouies dans l'inconscient collectif, par un examen de conscience que le débat judiciaire a rendu possible. La condamnation de la complicité du régime de Vichy, elle, ne peut plus être niée ou relativisée et vous pourrez ainsi sans hésitation et sans scrupule acquitter Maurice Papon qui ne saurait en être le bouc émissaire.

Ce procès fait à Bordeaux à Maurice Papon continue le procès fait à Vichy, ses chefs et ses principaux exécutants, après la Libération et qui a pris dans l'Histoire le nom d'épuration.

C'est le dernier procès de l'épuration. Le procès fait au maréchal Pétain, chef de l'État, en fut la figure emblématique. La reprise de l'épuration par ce procès est bien ce qu'Henry Rousso a appelé une justice impossible, car ce procès mêle indistinctement les incertitudes et les choix inconscients de la mémoire, les controverses passionnées de l'Histoire, la disparition ou l'incapacité de témoigner des vrais "sachants" et le caractère évidemment lacunaire des archives.

Ce procès tardif porte sur des événements, des actions, des abstentions et des instructions qui se situent au-delà du demi-siècle. C'est comme juger en 1848 les acteurs de la Terreur et le génocide de la Vendée ; en 1926, les communards pour leurs crimes de 1870 et les Versaillais pour leurs abominables représailles ; en 1972, les exécutions pour l'exemple de 1917. Comme si l'on devait juger la complicité des autorités françaises dans le génocide du Rwanda en l'an 2052. C'est ce qui explique que les historiens Henry Rousso, André Kaspi, Michael Marrus aient estimé que la place des historiens, qui ne sont pas des témoins, n'était pas dans un procès pour servir d'alibi aux parties. L'Histoire qui, par définition, se révise, et plus souvent que ne sont révisés les arrêts de justice, a sa place dans les colloques, les amphithéâtres et les publications plus que dans les prétoires. Mais c'est bien pourtant un jugement sur l'Histoire que les parties civiles vous ont demandé de prononcer.

Essayons de comprendre les quatre étapes de ce qu'Henry Rousso a nommé le syndrome de Vichy qui a conduit à ce procès.

Entre 1944 et 1954, c'est la phase de deuil. La France affronte les séquelles de l'épuration. D'une part, on célèbre tout un peuple entier de résistants que symbolise l'homme du 18 juin et, d'autre part, s'opère autour de cette reconstitution rassurante une réhabilitation ou une compréhension des intentions et des actes du maréchal Pétain, tout autant résistant, opposé à son double maléfique, Laval.

De 1954 à 1971, c'est la phase de la mémoire résistante, sous l'angle de la mémoire gaulliste, dont l'histoire, selon les *Mémoires de guerre* qui sont alors publiés, s'est écrite à Londres. Le concours national de la Résistance est introduit dans les collèges en 1964. La même année est votée la loi sur l'imprescriptibilité des crimes contre l'humanité. Et surtout, le 19 décembre 1964, les cendres de Jean Moulin sont transférées au Panthéon au cours d'une grandiose cérémonie ordonnancée autour du général de Gaulle, et de l'axiome développé par André Malraux dans son discours : la Résistance, c'est de Gaulle : de Gaulle, c'est la France.

À partir de 1970, c'est la phase du refoulé. De Gaulle est mort. La France se retrouve travaillée par le remords de ne pas correspondre au rêve historique soutenu par le verbe mythique du Général. C'est la diffusion, retardée et controversée, du film de Marcel Ophuls. À l'image d'une France unanimement résistante est opposée, au travers de la ville choisie de Clermont-Ferrand, une démythification de l'Occupation où les Français sont dépeints hésitants à l'heure des choix, et plus souvent lâches, ou en tout cas attentistes, plus qu'héroïques. Ce sont les films : *Lacombe Lucien*, *Section spéciale*, *L'Affiche rouge*, *Les Guichets du Louvre* ; *M. Klein*. Et en 1973 paraît le premier livre de Robert Paxton.

Enfin, à partir de 1974, c'est la phase du retour de la mémoire juive. Jusqu'alors, la volonté de témoigner des rescapés n'avait produit qu'un nombre limité de témoignages. Comment transmettre en effet cette expérience qui n'avait pas de précédent pour la rendre dicible ? Primo Levi écrivit *Si c'est un homme*. Mais, pendant plusieurs années, son livre capital ne trouva pas d'éditeur, puis, édité, n'eut que peu de lecteurs, car il n'y eut longtemps pas d'oreilles pour recueillir les témoignages sur l'anéantissement total programmé et exécuté de ceux qui avaient commis "le crime d'exister", selon la formule d'André Frossard. Les rescapés voulaient en 1945 se fondre dans la nation dont ils avaient été séparés. Ce sont leurs descendants qui ont voulu ouvrir le procès de Vichy. Le devoir de mémoire devint le référent des nouveaux réquisitoires occultant totalement le droit à l'oubli et parfois le devoir de vérité.

Et c'est ainsi que l'on est passé d'un refoulement massif à une culpabilité massive. Culpabilité qui cherche des boucs émissaires. Mais aussi cette mémoire retrouvée est devenue une mémoire instituée. Elle fonctionne comme un disque rayé, butant toujours sur le même point, la politique antisémite de Vichy, devenue le paradigme de la faute.

Maurice Papon, nous le savons et nous allons le revoir, n'a jamais pris une initiative personnelle, détachable de sa fonction. Il n'y a aucun acte à sa charge équivalent à la décision de Paul Touvier de faire exécuter 7 otages juifs, à l'instigation du chef local de la Gestapo, en représailles à l'exécution de Philippe Henriot, alors que Vichy avait interdit les représailles. Il n'y a rien de comparable à la rafle des enfants d'Izieu par Klaus Barbie, chef du bureau IV du Sipo-SD de Lyon, dans le cadre de la politique d'extermination du service criminel dont il était le responsable local.

Les arrestations et séquestrations sont arbitraires, mais elles s'inscrivent alors dans une structure gouvernementale et administrative que l'on nomme "les autorités constituées". La préfecture n'est pas la milice. L'arrêt de renvoi s'y réfère en articulant que Maurice Papon a agi "sans ordre des autorités constituées". C'est le contraire. Illégitime à ses yeux, Vichy n'en était pas moins une autorité constituée qui avait une légalité formelle.

Pour ce qui est des arrestations des Juifs et de leur séquestration à Mérignac, on doit constater que Maurice Papon n'y a pas concouru, ni de son fait personnel, ni par des instructions finalisées données par lui-même à la police et on ne voit pas dans ses interventions le zèle, l'adhésion et la foi fervente, l'empressement qui caractérisent la complicité criminelle lorsqu'il s'agit de qualifier le crime contre l'humanité.

Le convoi du 26 août 1942 est la croix de ce procès puisque c'est à son occasion que 15 des 50 enfants appréhendés en juillet 1942, ensuite dispersés et mis à l'abri, ont été regroupés sur la décision allemande de les réunir à leurs parents. Nous savons aujourd'hui que cette réunion est une réunion dans la mort puisque leurs parents avaient été immédiatement déportés et gazés. Il est scandaleux d'avoir affirmé, pour la première fois, que les enfants arrêtés en juillet puis dispersés et remis à des familles d'accueil auraient été arrêtés sur ordre de Papon qui se trouverait ainsi complice de leur séquestration ! Quel ordre ? C'est oublier que si le camp de Mérignac était français et gardé par des Français, il était sous contrôle allemand étroit. Ce sont les Allemands qui décidaient des internements et des libérations. Aucune libération n'intervenait sans leur visa.

Les parties civiles, en affirmant que Maurice Papon connaissait la solution finale, sans en connaître cependant le détail technologique, pour pouvoir fonder l'accusation de crime contre l'humanité, se conduisent comme des négationnistes. Elles affirment, sans aucune preuve sérieuse, sinon quelques tracts, quelques journaux clandestins ronéotypés et quelques rares émissions, que Maurice Papon savait et devait savoir ce que personne ne savait et ne pouvait savoir. Elles sont dans l'incapacité de se fonder sur un témoignage de survivants. Tous disent que c'est en arrivant à Auschwitz qu'ils ont su et compris. Elles ne peuvent invoquer le témoignage d'aucun contemporain. Tous disent le contraire et beaucoup sont venus le dire à la barre. Elles sont dans l'impossibilité de pouvoir se référer à un seul des historiens de la déportation et du génocide. Tous affirment le contraire, et trois d'entre eux sont venus le dire à la barre. Elles espèrent confondre la mémoire, une mémoire tissée d'oublis, de stéréotypes et d'amalgames, avec une histoire faite de témoignages tardifs, d'une perception différée du sort spécifique des Juifs et d'une volonté commémorative d'autant plus active qu'elle a été longtemps muette. Pour faire d'un accusé "emblématique", comme on dit aujourd'hui, le moyen de juger et condamner la complicité de l'État vichyste.

Citons par exemple William Casey, qui fut le directeur de la CIA, qui pendant la guerre fut un adjoint proche du fondateur du légendaire OSS (*Office of Strategic Services*), ancêtre de la CIA : "Je n'ai jamais pu comprendre pourquoi, alors que nous savions tant de choses sur l'Allemagne et sa machine de guerre, nous en savions si peu sur les camps de concentration et l'ampleur de l'Holocauste. Nous savions, de manière vague, que les Juifs étaient persécutés, qu'ils étaient raflés dans les pays occupés et déportés en Allemagne, qu'ils étaient internés dans des camps, où ils étaient victimes de sévices et d'assassinats. Mais bien peu d'entre nous (aucun, peut-être) n'étaient capables de se représenter le massacre dans toute son horreur." Les rumeurs qui commençaient à circuler en 1943 semblaient si monstrueuses qu'elles étaient impensables, donc impossibles. C'est ce que dit Raymond Aron, qui dirigeait à Londres *La France libre*, dans ses *Mémoires* : "Au niveau de la conscience claire, ma perception était à peu près la suivante : les camps de concentration étaient cruels, dirigés par des gardes-chiourme recrutés non parmi les politiques, mais parmi les criminels de droit commun, la mortalité y était forte, mais les chambres à gaz, l'assassinat industriel d'êtres humains, non, je ne les avais pas imaginés, et parce que je ne pouvais les imaginer, je ne l'ai pas su." C'est en mars 1945 que les premières révélations commencent à paraître à la suite de la publication de larges extraits du rapport de jeunes Juifs slovaques, Rudolf Urba et Alfred Wetzel, qui se sont évadés le 7 avril 1944 de Birkenau. Ils se sont donné pour mission de faire connaître ce qui se passe à Auschwitz.

Ainsi, Maurice Papon aurait dû savoir ce que les victimes, elles, ne savaient pas ! Mais il ne savait pas ce que ne savaient pas les déportés, les témoins, les résistants et les fonctionnaires de Bordeaux. Faute d'avoir établi cette connaissance qui seule caractérise le crime contre l'humanité, vous répondrez non à la question double de la complicité de droit commun et du mobile qui caractérise le crime contre l'humanité.

Si Maurice Papon avait été le grand ordonnateur de la déportation des Juifs de Bordeaux dans la connaissance de leur sort final – ce que tous savent maintenant qu'il n'a pas été –, toute peine serait incommensurable avec ce qui s'est passé là-bas. Mais sachant à quoi s'est ramené son rôle, toute condamnation, quelle qu'elle soit, condamnation conjuratoire pour l'exemple et pour satisfaire ceux et celles qui verraient dans un acquittement le déni de leur deuil, serait une régression vers les sentiments les plus primitifs et une injustice. Une injustice et une déchirure nationale.

Mesdames et Messieurs les jurés, vous êtes libres de toute crainte. Et vous n'êtes plus seuls ! Lors de ce procès, vous avez présidé une grande leçon. Elle n'exige pas un sacrifice injuste. Ce sacrifice éclabousserait la mémoire et la rendrait vaine. Vous savez ce que Maurice Papon, dont la vie a été vouée au bien commun des Français, a su, pu et voulu. Vous savez le droit. Vous voulez être justes. Vous n'avez pas à le justifier. Mais vous avez à répondre non à l'injustice que serait sa condamnation. »

Son engagement absolu au service des victimes de la Shoah a marqué toute sa vie. Michel Zaoui est l'un des très rares avocats à avoir participé aux trois grands procès français qui ont essayé de leur rendre justice : celui de Klaus Barbie, le gestapiste, celui de Paul Touvier, le milicien, et celui de Maurice Papon le haut fonctionnaire. En ce lundi 16 mars, c'est donc lui qui a la lourde responsabilité de conclure les quarante plaidoiries des parties civiles. « Après moi, dit-il, viendra l'appréhension terrible du silence qui couvrira la voix des victimes. » Le vice-président du Conseil représentatif des institutions juives, calé en retrait du pupitre, regardant fixement la cour, prononce un discours magistral qui lui ressemble : profond, engagé, maîtrisé. Dans un style limpide, d'une voix fluide, il accuse Maurice Papon d'être l'auteur d'un « crime de bureau ». Un crime administratif qui a la particularité d'éloigner le bureaucrate de sa victime. Michel Zaoui reprend à son compte la phrase de Kafka : « Les chaînes de l'homme torturé sont faites en papier de ministère. »

PLAIDOIRIE PRONONCÉE PAR MICHEL ZAOUI,
AVOCAT DES PARTIES CIVILES, LE 16 MARS 1998,
DEVANT LA COUR D'ASSISES DE LA GIRONDE
LORS DU PROCÈS DE MAURICE PAPON.

« Monsieur le président, Madame et Monsieur de la cour, Mesdames et Messieurs les jurés, il m'incombe la lourde responsabilité de clore les voix des parties civiles qui, pendant dix-sept années, ont réclamé justice et réclamé d'être reconnues comme victimes des agissements criminels de Maurice Papon.

D'ordinaire devant une cour d'assises, l'environnement du crime de droit commun est connu : un ou plusieurs morts, des pièces à conviction, des témoins directs, parfois indirects, des empreintes digitales ou génétiques. Or qu'avons-nous ici ? Au lieu de cadavres, nous avons des listes de noms, de prénoms, d'adresses, des listes de nationalités. Au lieu d'experts médecins légistes, nous avons des témoins historiens. Au lieu de pièces à conviction (couteaux, pistolets, haches, fusils, etc.), nous avons des rapports, des notes, des comptes rendus, des instructions administratives. Au lieu d'un accusé ordinaire, nous avons devant nous un homme qui a connu une carrière exceptionnelle.

Lorsque vous jugez un crime ordinaire, le criminel va comparaître et on va l'interroger sur sa vie familiale, professionnelle, son environnement affectif. On va essayer de comprendre cet accusé, de trouver un lien entre sa vie privée et l'acte criminel qu'il a commis. Ce n'est plus le cas dans le crime contre l'humanité. Dans le crime contre l'humanité, on n'est plus dans le cadre de la sphère privée de l'accusé. Peu me chaut la vie privée et psychologique de Maurice Papon. Dans le cadre du crime contre l'humanité, on abandonne la sphère de la vie privée. Au moment où Maurice Papon prend en main le service des Questions juives, il entre dans la vie publique, dans la vie politique. Nous ne sommes plus dans le cadre de la vie privée d'un individu. Et cela, c'est une différence supplémentaire entre crime contre l'humanité et crime ordinaire de droit commun. En conséquence, on va interroger l'environnement de Maurice Papon, non son environnement familial mais sa vie politique, sa vie publique, et c'est cela qui nous intéresse. C'est la raison pour laquelle nous avons fait venir les grands témoins historiens. On nous l'a déjà reproché aux procès Barbie et Touvier. Cet argument et cette position sont habituels. Or, nous avons fait venir ces historiens pour nous parler de cette vie publique dans laquelle s'est mû Maurice Papon, c'est cela que nous avions besoin d'entendre. Car si vous l'enlevez du régime de Vichy, Maurice Papon n'est rien. Il est une huître sur une plage et rien d'autre. Mais, dans le régime de Vichy, vous allez comprendre pourquoi il a agi de telle ou telle manière. Maurice Papon est la traduction de ce qu'est le régime de Vichy, il en est une sorte de figure emblématique.

Maurice Papon veut faire entrer les contours du crime contre l'humanité dans un cadre qui nous est à tous plus habituel, celui du crime de droit commun. Mais ce cadre est trop étroit. Prenons quelques exemples. Dans un crime de droit commun, il y a un heurt, il y a un face-à-face, un corps à corps entre le criminel et sa victime. Il y a une proximité entre les deux par l'utilisation d'une arme, par exemple. En revanche, le crime administratif est géré par une bureaucratie criminelle. Par définition, le bureaucrate est loin de sa victime. Il n'y a pas de proximité entre le bureaucrate et sa victime. Rappelez-vous le cas du Dr Michaelson, ami de Maurice Papon. Il y eut là un face-à-face et il n'y aura pas de crime parce que Maurice Papon lui dira de partir vite. Lorsque Papon est derrière son bureau, il n'y a pas de corps à corps avec ses victimes, il y a cette mise à distance entre le criminel et sa victime.

Il y a d'autres différences entre le crime de droit commun et le crime administratif. En droit commun, c'est le criminel qui va vers sa victime. Par exemple, il va chez son voisin et lui tire dessus. Mais avec le crime contre l'humanité c'est l'inverse. L'assassin ne va jamais vers les victimes. L'assassin de bureau va envoyer sa victime vers le lieu du meurtre, vers Drancy et plus loin encore. Avec le crime contre l'humanité, ce sont les victimes qui vont vers le lieu de leur anéantissement. Avec le crime administratif, le crime de bureau, les massacres sont anonymes, les victimes ne figurent que sur des listes. Les auteurs ne sont pas connus non plus, personne n'a tué, personne n'a de sang sur les mains. Le service des Questions juives répond à un ordre allemand pour un convoi prévu le jour même et la machine va se mettre en marche. Les trains partiront à l'heure. On aurait pu imaginer qu'ils partent en retard, mais non, ils partent tous à l'heure.

C'est cela la machine bureaucratique française qui se met en marche.

Nous sommes face au crime de bureau.

Le crime contre l'humanité est ici un crime unique qui se décompose en une infinité d'actes criminels indissociables les uns des autres. C'est pourquoi il ne peut être dissocié du crime administratif, et nous sommes bien loin du crime ordinaire de droit commun dans son sens traditionnel. Maurice Papon, qu'il le veuille ou non, a participé à cette chaîne de mort où chaque maillon est d'égale importance. Dans le crime administratif, les auteurs sont dispersés tout au long de cette chaîne et sont souvent si nombreux qu'ils ne se connaissent pas. Un individu seul ne peut pas être complice d'un crime contre l'humanité. Cela passe obligatoirement par la mise en œuvre d'un réseau de fonctionnaires. Cinq, dix, cinquante, cent, on ne peut pas savoir. Il faut que le processus administratif se mette en marche pour que le crime administratif se mette en place.

Rappelez-vous ce qu'a dit Maurice Papon sur le cas Librach qui va passer par Mérignac, avant de partir à Drancy. Maurice Papon a ce mot terrifiant : "C'était la fin de la procédure." C'est un mot terrible ! Mais quand on y réfléchit, cela signe bien le crime de bureau. Léon Librach va se retrouver à Drancy à l'issue de toute une procédure administrative. La sécheresse du propos de Maurice Papon fait penser à la phrase de Kafka : "Les chaînes de l'humanité torturée sont faites en papier de ministère." Cette expression m'a sauté au visage parce que je me suis dit : c'est exactement cela ! En 1942-1944, le service des Questions juives, c'est des "papiers de ministère". Et qu'est-ce qu'il y a sur ces papiers ? Des noms de Juifs qui n'ont rien demandé à personne, des personnes qui demandent seulement de vivre. Et les papiers du service des Questions juives vont les envoyer à la mort.

Nous sommes, là encore, toujours dans cette distinction qui me hante, celle du crime administratif opposé au crime ordinaire. Ce crime administratif constitue un enchaînement. C'est une sorte de crime qui passe de main en main et qu'on se transmet. C'est parce qu'il passe de main en main qu'on ne sait jamais quand il commence. Et c'est parce qu'on ne sait pas quand il se commet que, dans leur quasi-totalité, les criminels contre l'humanité n'ont jamais avoué. La spécificité du crime contre l'humanité est qu'il ne s'avoue pas. Personne ne pourra reconnaître devant une cour d'assises qu'il a commis un crime contre l'humanité parce que cela ne peut pas reposer sur les épaules d'une seule personne. La totalité des actes criminels sont commis par 20, 30 ou 50 personnes, c'est pour cela qu'on n'avoue jamais un crime contre l'humanité. La complicité, pour répondre à Maurice Papon, elle est là.

Monsieur le président, Madame et Monsieur de la cour, Mesdames et Messieurs les jurés, j'en ai terminé. Ce procès, je crois, est essentiel pour la mémoire de notre pays. Il a montré que les cinquante-cinq ans passés n'ont pas favorisé l'oubli mais brisé l'amnésie française. C'est faire œuvre de justice mais l'œuvre de justice, cette grande affaire des hommes, est là aussi pour porter secours à la solitaire douleur des survivants et de ceux qui vivent dans leur chair la mémoire de la tragédie. L'œuvre de justice est là pour apporter une réponse qui ne soit pas indigne de l'irréparable. En manifestant sans relâche notre exigence de vérité et de justice, c'est un peu comme si nous leur avions fait cortège, à eux, qui ne connaissent pour ultime demeure que la terreur et la cendre. Mais il faut bien en finir. J'éprouve une appréhension terrible devant le silence qui va succéder aux paroles de mes confrères et aux miennes en cet instant, ce silence qui va couvrir les voix des parties civiles qui ont cherché à vous expliquer leur souffrance et à vous démontrer la responsabilité pleine et entière de Maurice Papon, coupable de complicité de crime contre l'humanité. Votre verdict fera qu'elles ne continueront plus à vivre dans le silence et dans l'oubli. »

VERDICT :

Le 2 avril 1998, la cour d'assises de la Gironde condamne Maurice Papon à dix années de réclusion criminelle pour complicité de crime contre l'humanité.

Au cœur de la société

Le procès du sang contaminé

Le procès du sang contaminé fut un concentré de rage, de désespoir et d'incompréhension. En cet été 1992, lorsque apparaît le docteur Garretta, dans une salle exiguë et une chaleur d'étuve, c'est le docteur Mabuse que l'on s'apprête à juger. Michel Garretta, directeur général du CNTS, le Centre national de transfusion sanguine, est alors accusé d'avoir sciemment distribué à des centaines d'hémophiles des lots de sang qu'il savait contaminés par le virus du Sida. Il serait responsable de plusieurs dizaines de décès. Depuis plus d'un an, la presse a multiplié les révélations sur le « scandale du siècle » et le public a découvert, effaré, comment des intérêts bassement financiers avaient pu conduire plusieurs hauts responsables de la transfusion sanguine, Michel Garretta en tête, à sacrifier la vie de malades sur l'autel de l'argent et du profit. Par la suite, l'affaire apparaîtra autrement plus complexe. Mais, en ce 22 juin 1992, à l'ouverture des débats, ce sont la colère et la douleur qui l'emportent sur la raison. Pendant plusieurs semaines, les victimes défilent à la barre pour exprimer chagrin et désarroi. Il y a cette mère déchirante qui confie : « Petit à petit, j'ai vu mon enfant partir. Que devais-je lui dire ? On t'a transmis le Sida ? On t'a empoisonné ? À onze ans, il n'a pas compris de quoi il allait mourir. » Cet hémophile contaminé, inconsolable parce qu'il ne verra pas grandir sa petite fille, et qui apostrophe les prévenus : « Avez-vous pensé à ceux qui se réveillent toutes les nuits, la peur au ventre ? » Cette femme qui crie : « Je suis une mère célibataire et l'on me vole mon unique enfant. » Des phrases terribles résonnent dans le prétoire. Vies sacrifiées, bonheurs perdus. Dans le box des prévenus, le docteur Garretta ne trouvera jamais les mots justes pour répondre à une telle douleur. Le pouvait-il ? Le désirait-il simplement ? Jamais, il ne prononcera le moindre mot d'excuse. Distant, voire arrogant, il se retranche derrière les circulaires, les dossiers, les statistiques et tente de faire porter la responsabilité de ce drame sur les ministres en charge de la Santé publique qui n'ont pas encore été inquiétés. Ils sont les grands absents de ce procès et tous leurs conseillers – qui pourtant ont eu un rôle décisif dans ce scandale – ne comparaissent qu'au titre de témoins. Au mois d'août, le procès se termine sur une impression d'inachevé. Il n'a satisfait aucune des parties. Ni les victimes qui étaient favorables à une audience criminelle et à des poursuites pour empoisonnement et qui sont ulcérées par la qualification retenue, une simple « tromperie sur la marchandise ». Ni Michel Garretta qui estime, en partie à raison, avoir été un bouc émissaire. Son défenseur, François-Xavier Charvet, avocat spécialisé dans le droit des entreprises, professeur à HEC, connu également pour son engagement dans la défense des droits de l'homme, se fait le porte-voix de son indignation.

« Le jour de l'ouverture des débats, nous avons affirmé que nous étions venus aux côtés du docteur Garretta pour livrer bataille.

Cette bataille, nous ne voulions pas la mener et nous ne l'avons pas menée contre les 62 hémophiles et leur famille, victimes de ce drame. Cette bataille, nous l'avons livrée contre la conspiration du silence, contre tous ceux qui savent et qui, terrorisés, se sont cachés et se sont tus : médecins traitant les hémophiles, responsables des centres de transfusion, patrons de centres de fractionnement, conseillers et experts auprès des ministres. Cette bataille, nous l'avons livrée contre cette rumeur quotidienne et permanente qui veut que le docteur Garretta ait été dans ce pays le patron de la transfusion sanguine française, l'homme qui prônait contre tous l'autosuffisance et, à de seules fins, bien entendu, mercantiles !

Il ne m'appartient pas de dire si cet homme méritait les honneurs qui lui ont été accordés dans le passé ; je suis, en revanche, certain qu'il ne méritait pas les excès d'indignité qu'il a dû subir, puisque depuis plus d'un an il a déjà, presque par tous, été jugé, condamné et exclu.

Non, le docteur Garretta n'est pas et n'a jamais été le patron de la transfusion sanguine française. Non, il n'est pas et n'a jamais été le responsable de la contamination de 1 200 hémophiles.

La vindicte populaire l'a désigné comme un assassin ! Ses méthodes ont été dénoncées comme machiavéliques ! On en a fait un despote ! Son nom – il n'a plus de prénom – a été traîné dans la boue ! Son visage a été affiché et exposé aux crachats et violences de tous ! Certains, en première page, ont même publié son visage sur une cible de tir ! Les comparaisons les plus folles ont été faites. Les mots les plus horribles ont été employés. Les adjectifs et qualificatifs les plus hideux ont été prononcés à son sujet. Et, pourtant, tous ceux qui dans le monde médical s'expriment savent que le drame du Sida et de sa propagation – y compris en ce qui concerne la surinfection des hémophiles – dépassait très largement les décisions qu'il a prises.

La vérité n'est pas un événement. Or, c'est aujourd'hui l'événement qui prime ! Mais, la calomnie n'est jamais le prix qu'il faut payer pour trouver la vérité.

Madame le représentant du procureur de la République, en entretenant, dans cette salle et pendant tous nos débats, la confusion, en attendant le dernier jour, pour nous dire, pourquoi vous aviez décidé de renvoyer devant ce tribunal seulement 4 inculpés, en nous avouant, que ce n'était que 4, parce que, autrement, c'était au moins 100. Et puis, un peu plus tard, en nous disant que s'ils avaient été 100, ils auraient pu "plaider l'erreur collective". Enfin, en ne requérant qu'à l'encontre d'un seul une peine de prison ferme, c'est-à-dire, en disant "après tout ce n'est pas 4, c'est un seul", vous avez, Madame le représentant du procureur de la République, oublié votre rôle de représentant de la société, pour simplement devenir celui de l'opinion publique… en ce qu'elle a de plus vil. L'opinion voulait une tête, vous la lui avez offerte !

Tout ceci explique que, même dans ses fondements juridiques, cette affaire est tronquée. Deux ans après une apparente parodie d'instruction judiciaire, le dossier est totalement incomplet. Ceux qui auraient dû être entendus ne l'ont pas été. Les pièces qui auraient dû être collectées ne l'ont pas été. Les perquisitions qui auraient dû être ordonnées ne l'ont pas été. Sauf bien entendu… les perquisitions du bureau du docteur Garretta, les perquisitions du secrétariat du docteur Garretta, les perquisitions au domicile du docteur Garretta. Les expertises médicales qui auraient dû être diligentées ne l'ont pas été. Les expertises scientifiques qui étaient nécessaires n'ont pas été demandées.

Alors, pourquoi deux ans ? Parce que ce sont deux années de gagnées sur le vrai débat : celui de la responsabilité de l'État face au Sida et de sa propagation pendant toute cette période. Deux ans épargnés au ministre de la Santé de l'époque, Monsieur Hervé ! Deux ans de silence gagnés par ceux qui nous gouvernent, à propos de leurs errements de l'époque sur la nécessité d'imposer rapidement le dépistage. Deux années pour se cacher derrière un bouc émissaire : le docteur Garretta. Car en fait, en ayant créé et entretenu cette fixation de tous sur le drame des hémophiles, on a pu occulter la véritable erreur : celle de ne pas avoir décidé plus tôt le dépistage systématique des donneurs, avec les terribles conséquences que cela a pu avoir sur tous les transfusés.

Mais si le docteur Garretta avait pu avoir plus tôt le moyen de déceler le virus, il ne serait bien évidemment pas là !

Les moyens existaient en avril 1985 : c'étaient les tests. Le retard des tests n'est pas la décision du docteur Garretta. Le retard des tests est de la seule décision de l'État et de ses ministres.

Ces retards sont la cause de contamination probable de centaines de transfusés. Tout le monde le sait.

Mais grâce aux fumigènes que constituent les poursuites à l'encontre du docteur Garretta, on n'en parle quasiment pas. C'est pourquoi, la logique qui a guidé l'instruction, puis l'accusation, s'apparente plus à une technique de camouflage qu'à une technique judiciaire d'une recherche de vérité.

Qu'à l'extérieur de cette enceinte chacun se sente de plus en plus souvent légitime à parler et à discourir à propos de problèmes qu'ils ignorent, c'est un fait. Mais pas ici. Pas dans cette enceinte. Pas dans ce tribunal.

Nous ne vivons pas un exorcisme. Nous participons à un procès qui a ses règles de procédure et ses règles de droit.

Des règles qui ne sont pas faites pour occulter la vérité, ni pour abolir l'âme ou faire taire la douleur mais des règles qui sont faites pour être appliquées.

Alors, revenons au droit. En droit, il n'y a pas d'infraction lorsqu'il n'y a pas d'élément intentionnel. Dans la vie, il n'y a pas de faute, au sens moral du terme, quand un homme a agi en son âme et conscience et sans tenir compte de considérations d'ordre personnel.

Or, quel est le reproche exact qui est fait au docteur Garretta par le juge d'instruction ? Celui de ne pas avoir informé les hémophiles des risques qu'ils prenaient et, par là même, de les avoir trompés. La question est donc simple, elle est cernée, elle est précise. Or, personne n'a démontré, dans cette affaire, une intention coupable, une réelle volonté de la part du docteur Garretta de tromper les hémophiles. Bien au contraire, n'est-ce pas le tribunal que l'on veut tromper lorsque l'on ne rapporte pas la preuve d'une intention et que l'on traite le docteur Garretta de marionnettiste…

Mais un marionnettiste, aussi doué soit-il, ne peut faire bouger que deux personnages ! Il y a, dans la transfusion et dans la santé publique, trop de monde impliqué pour que l'on puisse affirmer, sans être ridicule, qu'un seul homme pouvait tout animer.

Non ! Madame le procureur, ce ne sont pas 4 ou 100 médecins qui pourraient être impliqués. Ce sont plus de 300 à 400 responsables, qu'à vous entendre, le docteur Garretta aurait manipulés. Quel talent ! Qui décide de la politique de santé dans ce pays ? Qui décide de la liste des produits sanguins et dérivés sanguins qui doivent être distribués dans ce pays, et à quel prix ? Qui définit l'étiquetage qui doit figurer sur ces produits ? Et qui a décidé, dans le passé, le retrait des plasmas secs ?

Ce sont les ministres et leurs administrations qui imposent et qui dictent. Qui conseille ? Les ministres sont conseillés par la Commission consultative de la transfusion sanguine.

Ce n'est pas le docteur Garretta qui conseille le ministre ! Ce n'est pas le docteur Garretta qui rencontre le ministre !

Le 20 juin 1985, la Commission consultative s'est réunie. Elle est composée de 31 médecins ! 31 médecins qui savaient !

Tous savaient que la technique de poolage comportait un risque. Tous savaient que les produits étaient "éventuellement contaminés". Mieux, Ils l'écrivent ! Tous s'interrogent ensemble pour savoir s'il est possible de continuer ou non à utiliser des produits non chauffés "éventuellement contaminés par le virus du Sida"... Tous savent, et ils écrivent "que la possibilité de ne pas avoir de lots contaminés est très faible"... ! Alors... Décident-ils d'arrêter ?

Alors, ces grands conseillers, disent-ils qu'il faudrait au moins avertir les hémophiles ? La Commission consultative a-t-elle émis un souhait d'information ? La Direction générale de la santé et le Laboratoire national de la santé ont-ils dit au docteur Garretta qu'il devait avertir les hémophiles ? Aucun de ceux qui savaient, aucun de ceux qui pouvaient – même lorsque le docteur Garretta les a appelés ou leur a écrit – aucun de ceux-là n'a dit au docteur Garretta qu'il devait avertir les hémophiles.

Alors, tout cela peut apparaître bien administratif… Tout cela peut apparaître bien hiérarchique.

Mais le docteur Garretta s'est tourné aussi vers les autres, ceux qui font le même métier que lui : l'Association de développement de la transfusion sanguine. Ce n'est pas une petite association, elle regroupe 400 responsables de transfusion sanguine, dont plus de 250 médecins ! Je vous ai lu ce qu'elle avait écrit à ses 400 adhérents, à ses 250 médecins. Il n'existe pas une ligne sur la nécessité d'informer les hémophiles des risques qu'ils prenaient ! Aucune de ces associations, de ces institutions, de ces administrations ne pouvait ne pas savoir, et pourtant, personne n'a jamais écrit, n'a jamais dit au docteur Garretta qu'il devait informer les hémophiles. Alors, pourquoi ? Pourquoi, personne n'a jamais rien dit ?

La vérité c'est qu'en 1985, tout le monde sous-estimait le risque du Sida, tout le monde parlait de porteurs sains, tout le monde disait que 5 à 10 % des gens séropositifs seulement pouvaient développer la maladie. Et tout le monde estimait que dans seulement 2 à 5 % les conséquences pouvaient être fatales. Ce risque – qui moi, non médecin, m'effraie – semblait, pour tous ces médecins, acceptable puisqu'ils l'ont accepté.

Ce que beaucoup ne comprennent pas, c'est qu'en 1985, le corps médical a totalement sous-estimé le Sida, la séropositivité et ses conséquences ! Qu'on le veuille ou non, cette sous-estimation par l'ensemble des médecins et par l'ensemble des scientifiques est la seule explication des décisions de l'époque. Celles du docteur Garretta, qui lui sont aujourd'hui reprochées, celles de ses conseillers de cabinet qui n'ont pas crié au feu alors qu'ils savaient que tous les lots étaient potentiellement contaminés, celles de tous ceux qui, dans la transfusion sanguine, à Paris, à Lyon, à Lille ou à Strasbourg, ont tous fait la même chose, ont tous continué de distribuer les produits jusqu'au mois de juillet 1985.

Tous ces médecins, tous ces scientifiques, vous ne me ferez quand même pas croire que c'est le docteur Garretta qui les manipulait !

Non, ce drame n'est pas acceptable. Mais est-ce au docteur Garretta de payer pour tous les autres ? Que l'on ne se méprenne pas si je parle des autres, si j'insiste pour que chacun se souvienne de ce qu'il n'a pas dit hier et qu'il prétend savoir aujourd'hui. C'est parce qu'en fait, en 1985, toute la communauté médicale et scientifique s'est trompée. Personne n'a véritablement lancé des cris d'alarme ! Madame le substitut nous l'a dit, c'était 4 ou 100, s'ils avaient été 100 – et c'était là leur crainte – effectivement, nous aurions pu plaider cette erreur collective.

L'erreur d'appréciation et de compréhension du problème par le docteur Garretta, c'est l'erreur de la médecine, celle qui cherche et qui soigne. C'est l'erreur de la science, celle qui est en amont. Ce n'est pas l'erreur du docteur Garretta, c'est l'erreur de chacun. En faisant ce procès truqué, c'est à nous tous que l'on ment, mais ce mensonge n'est pas fondé sur l'omission. Ce mensonge-là est voulu. Ce mensonge-là est celui d'une société lâche.

En commençant cette affaire, j'ai eu le sentiment que ce dossier était un procès atypique, puisqu'en effet, il s'agit d'un procès politique, mais sans hommes politiques. Et puis, après avoir entendu Monsieur Fabius, j'ai compris qu'en fait, c'était un procès politique, mais que ce n'était pas un procès atypique. Madame Dufoix s'est déclarée responsable, mais personne ne la poursuit, elle n'est donc pas coupable. Monsieur Hervé, ministre de la Santé, informé de tout par son conseiller, n'est toujours pas inquiété. Messieurs les professeurs Gros et Weisselberg, tous deux conseillers de nos ministres étaient très informés et pourtant ils ne sont pas inculpés. Enfin, Monsieur le Premier ministre qui a dit que nul ne pouvait s'exonérer n'est pas non plus sur le banc des inculpés.

Le docteur Garretta, lui, est là.

Madame le procureur vous demande de l'envoyer en prison !

Notre société, pour se défausser, veut en faire un coupable ! Au risque de choquer, connaissant ce dossier comme je le connais pour l'avoir travaillé depuis trois ans, et connaissant le docteur Garretta comme je le connais maintenant, je sais, moi, que cet homme n'a pas à avoir honte de ce qu'il a fait. »

JUGEMENT :

Le tribunal correctionnel de Paris a condamné le 23 octobre 1992, Michel Garretta à 4 ans d'emprisonnement et 500 000 francs d'amende.

Le procès de la garde à vue

Le 29 mars 2010, la chambre de la presse du tribunal de grande instance de Paris juge une affaire peu banale : la fine fleur du barreau français poursuit des policiers pour « injure ». Entre autres amabilités, les OPJ, affiliés au syndicat Synergie-officiers, avaient écrit quelques mois plus tôt dans un tract qu'ils n'avaient pas « de leçon d'intégrité à recevoir de commerciaux (les avocats) dont les compétences en matière pénale sont proportionnelles au montant des honoraires perçus ». Cette saillie policière intervient en plein débat sur la garde à vue. Alors que les robes noires réclament à cor et à cri de pouvoir enfin assister réellement leurs clients dans les commissariats, les policiers, eux, dans leur grande majorité, y sont franchement hostiles. L'ordre des avocats de Paris, convaincu qu'il est grand temps de mettre un terme à « l'arbitraire des forces de l'ordre », transforme cette audience, censée juger un délit de diffamation, en véritable procès de la « garde à vue à la française ». Les « baveux », comme les surnomment parfois les policiers, déroulent à la barre du tribunal leurs arguments. Depuis 2001, expliquent-ils, c'est la folle escalade ; chaque année, le nombre de gardes à vue explose et de plus en plus de Français sans histoire sont jetés dans les geôles des commissariats, parfois pour avoir seulement dit un

155

mot de trop à un gardien de la paix. Ces « monsieur et madame Tout le monde » découvrent alors avec effarement les menottes, la fouille au corps, les locaux insalubres. Ils en sortent traumatisés. Une préparatrice en pharmacie, placée en garde à vue à Versailles pour un outrage imaginaire, raconte au tribunal son passage dans une cellule de garde à vue « noire de crasse ». Rudoiement, quolibets, intimidations, mise à nu, elle a, selon elle, tout subi. Les avocats font également défiler à la barre des témoins prestigieux : le Madrilène Alvaro Gil Robles, ancien commissaire européen aux droits de l'homme, Vincenzo Siniscalchi, bâtonnier de Naples, Lord Goldsmith, ancien ministre de la Justice de Tony Blair, tous affirment que la France est bien « la dernière élève de l'Europe en matière de respect des droits de l'homme durant la phase de garde à vue ». Les policiers laissent passer l'orage et appellent eux aussi à la rescousse un « grand témoin » : Frédéric Péchenard, le directeur de la police nationale, qui a accepté de venir en personne devant le tribunal pour prêter main-forte à ses hommes. Le haut fonctionnaire admet qu'« il y a trop de gardes à vue » et que « souvent les cellules sont dans un état lamentable ». Mais il refuse que « les policiers passent aux yeux de l'opinion pour d'odieux tortionnaires ». Au terme de ces débats, Christian Charrière-Bournazel, l'ancien patron des avocats parisien se fait, dans une plaidoirie fulgurante, le porte-parole de l'ensemble de ses confrères. Il réaffirme qu'au regard du droit européen, toutes les gardes à vue en France sont illégales. « L'avocat est là, dit-il, pour que le droit règne, pour que l'ordre du droit se substitue aux désordres des forces. » Quelques mois après ce procès, le Conseil constitutionnel lui donnait raison et la réforme, tant attendue, était enfin mise sur les rails par le Gouvernement.

PLAIDOIRIE PRONONCÉE PAR
CHRISTIAN CHARRIÈRE-BOURNAZEL
LE 1er AVRIL 2010
LORS DU PROCÈS INTENTÉ POUR INJURES
PAR L'ORDRE DES AVOCATS DE PARIS
CONTRE LE SYNDICAT DE POLICIERS SYNERGIE-OFFICIERS
ET SON REPRÉSENTANT PATRICE RIBEIRO
DEVANT LA CHAMBRE DE LA PRESSE DU TRIBUNAL
DE GRANDE INSTANCE DE PARIS.

« Mesdames et Messieurs les président et juges,

L'objet strict de ce procès paraît simple : un outrage grossier qui veut discréditer les avocats et discrédite en même temps la défense, un outrage proféré dans une atmosphère de rage sécuritaire sur fond de surenchère politique. Mais ne nous y trompons pas, l'enjeu de cette audience va bien au-delà de ces injures prononcées contre les avocats, un soir d'ivresse syndicale, au milieu des vapeurs et des fumées. En réalité, nous vivons ici un moment unique : c'est une rencontre avec l'histoire des libertés dont la France avait écrit les premières pages même si, depuis, nos encriers semblent s'être taris ou nos esprits calcifiés. Car ce procès n'est pas seulement celui d'un syndicat réactionnaire et de son leader vaniteux et obtus. C'est proprement celui de la garde à vue à la française dont j'ai commencé à dénoncer les excès et les aberrations l'année dernière en rappelant, dans Le Bulletin du Barreau de Paris, dans des communications à la presse ou des lettres aux parlementaires, que notre pays avait le devoir de renoncer à ses pratiques policières d'un autre siècle et de se conformer au droit européen.

Nous avons assisté, toute l'année 2009, à des discours contradictoires tenus au plus haut sommet de l'État, soufflant tantôt le chaud et tantôt le froid. Per-

157

mettez-moi, Mesdames et Messieurs les président et juges, un bref rappel des dates essentielles de l'année 2009.

Le 7 janvier, devant la Grand-Chambre de la Cour de cassation, le président de la République, M. Nicolas Sarkozy, avocat au barreau de Paris, avait annoncé les grandes lignes de ce que devrait être la réforme de notre procédure pénale. Il déclarait vouloir substituer une culture de la preuve à une culture de l'aveu. Cette première affirmation constituait une révolution à laquelle nous ne nous attendions pas et qui ne pouvait que nous réjouir. Il ajoutait vouloir rééquilibrer les forces entre l'accusation et la défense tout en précisant qu'il ne faut pas craindre la présence de l'avocat le plus tôt possible dès le début de l'enquête puisqu'il est astreint à une déontologie exigeante.

Il ne vous a pas échappé, comme à nous-mêmes, que ce discours était d'une importance considérable puisqu'il était prononcé dans le temps même où une commission, dite commission Léger, du nom de son président, s'était mise au travail pour proposer des pistes de réformes profondes de notre procédure pénale. Or, comme si le discours du chef de l'État n'avait aucune importance, cette commission, dans son rapport d'étape, n'autorise l'avocat à intervenir qu'à partir de la douzième heure de garde à vue. Cette intervention tardive est contraire aux principes élémentaires de la défense. Vous avez pu entendre durant les débats des témoins prestigieux qui ont accepté de venir déposer à cette barre : M. Alvaro Gil-Robles, ancien commissaire européen des droits de l'homme ; Lord Goldsmith, ancien chancelier d'Angleterre ; M. Von Mariassy, vice-bâtonnier de Munich parlant au nom de tout le barreau allemand et M. Siniscalchi, ancien bâtonnier de Naples, membre du Conseil supérieur de la magistrature italienne. Tous les quatre vous ont exposé qu'il n'y a pas d'interrogatoire par la police dans leurs pays respectifs sans que l'avocat soit présent et sans qu'ait été rappelée la faculté de garder le silence, même en matière de terrorisme ! La commission Léger s'en est souciée comme d'une guigne. Elle n'a pas plus tenu compte de l'état du droit européen émanant de la cour de Strasbourg. Ainsi, la cour dans un arrêt du 21 octobre 2009 précisait : "L'équité d'une procédure pénale requiert d'une manière générale, aux fins de l'article 6 de la Convention, que le suspect jouisse de la possibilité de se faire assister par un avocat dès le moment de son placement en garde à vue ou en détention provisoire."

Enfin, le 20 novembre 2009 éclatait l'affaire Wassermann que l'on peut résumer ainsi : une avocate du barreau de Paris avait été convoquée par la police de Meaux. Elle s'était enquise auprès de son bâtonnier du point de savoir si elle pouvait ou non répondre à la police. J'avais alors interrogé au téléphone un fonctionnaire de police qui m'avait dit qu'il ne s'agissait pas d'un témoignage sur une affaire qu'elle traitait, mais d'une question personnelle. En toute confiance, l'avocate se rendit donc au commissariat où elle fut mise en garde à vue dans des conditions humiliantes et dégradantes qui sont le quotidien des gardés à vue : mise à nu, puis menottée, puis enfermée, sans pouvoir aller aux toilettes dès qu'elle en faisait la demande, elle fut enfin déférée devant un juge qui la mit en examen pour violation de son secret professionnel ! Il s'agissait donc d'un acte en rapport avec sa profession. Ainsi, l'on m'avait menti, comme si le parquet et la police étaient libres de faire ce qu'ils voulaient. C'est alors que le syndicat Synergie se déchaîna : il réclama des poursuites contre le bâtonnier qui avait accusé un policier d'avoir menti. Il dénonça ce qu'il appela une campagne publicitaire des avocats. Il prétendit n'avoir aucune leçon d'intégrité à recevoir de "commerciaux dont les compétences sont proportionnelles aux honoraires qu'ils perçoivent". Il prétendit que les avocats ne sont pas les garants des libertés et que leur remue-ménage est fait pour nuire aux victimes. Mais la presse, en précieuse "chienne de garde de la démocratie", s'intéressa de près à la question. On apprit que les gardes à vue avaient augmenté de 40 % en un an ; qu'elles avaient atteint le chiffre de plus de 800 000 dont 300 000 pour conduite en état d'alcoolémie ; que la politique du chiffre exigée par la Chancellerie était à l'origine de cette dérive ; que nombre de policiers avaient appris à l'école qu'il faut obtenir l'aveu à tout prix et faire en sorte que le suspect atteigne ce vertige où l'âme se rend d'elle-même de sorte que la vérité, enfin, peut émerger.

Voilà brièvement exposé l'état du débat dans lequel vous êtes amenés à sanctionner les propos qui vous sont déférés. Je revendique chacun des propos que j'ai tenus. Je réaffirme ici que la garde à vue, telle qu'elle est pratiquée en France, vient tout droit des tribunaux religieux de l'Ancien Régime. Je réaffirme, malgré l'indignation feinte d'un témoin – l'excellent M. Péchenard, directeur de la police nationale – qu'il s'agit dans les commissariats de tourmenter le corps pour asservir l'âme. Je réaffirme que cette recherche de l'aveu à tout prix est contraire à ce que peut être une garde à vue. Elle ne saurait constituer une punition policière, préférée par précaution au prétendu laxisme des juges. On ne saurait accepter cette dérive totalitaire d'un pouvoir sans contrôle. La garde à vue ne se justifie que pour quatre raisons : s'assurer de la personne d'un suspect pour le conduire immédiatement devant un juge ; éviter qu'il ne fasse pression sur des témoins ou ne supprime des preuves ; prévenir toute récidive lorsqu'elle est à

160

craindre ; enfin le soustraire à la vindicte populaire dans les cas de crime flagrant. Vous avez entendu quelques victimes de ces gardes à vue à la française, qui avaient subi des abus de la part de policiers demeurés impunis. Défenseur des libertés, bâtonnier hier et avocat aujourd'hui, j'accuse la police (et non tous les policiers) pour ces excès et le système judiciaire pour son aveuglement. La France, comme écrasée par son héritage, n'a plus la force de le porter. Elle a le choix entre le sursaut par fierté ou le déshonneur d'une condamnation. L'état du droit européen a conduit la Turquie elle-même à modifier son Code de procédure pénale : désormais, le suspect est informé qu'il a droit au silence et ne peut être entendu que s'il est assisté. J'ai envie de dire : "Madame le garde des Sceaux, à défaut d'imiter l'Espagne ou l'Angleterre, imitez au moins la Turquie !" Vous savez, en effet, ce qu'il en est : en Espagne depuis trente ans ! En Allemagne depuis vingt ans ! En Italie ! En Grande-Bretagne depuis toujours car si la garde à vue peut être de vingt-huit jours en matière de terrorisme, elle est placée constamment sous l'autorité effective des juges. La France avait donné au monde les valeurs du siècle des Lumières et les droits de la personne humaine. Elle a fait inscrire, grâce à René Cassin, le mot "universel" en 1948 dans le titre de la Déclaration des droits de l'homme de l'ONU. Elle lui doit encore la Déclaration européenne du 4 novembre 1950. La France a reçu sur son sol la Cour européenne des droits de l'homme en hommage à son passé. Aujourd'hui, dans un "désordre de courages", pour reprendre le mot d'André Malraux à propos de la Résistance, des juges à Paris, Bobigny, Nanterre, Nancy, Saint-Brieuc, Rennes et ailleurs annulent les gardes à vue en se fondant sur le droit européen, partie intégrante du droit interne. L'État nous a donné un premier projet de réforme de la procédure pénale qui aggrave encore la situation tout en tentant de faire croire qu'il est meilleur que le système actuel. Jugez-en : alors qu'aujourd'hui l'avocat n'est présent qu'à la soixante-douzième heure en matière de terrorisme, il ne le sera désormais qu'à la quatre-vingt-seizième heure si la réforme passe. Alors que l'avocat est présent pour une petite demi-heure à la première heure aujourd'hui, on a inventé "l'audition libre" réservée à celui qui a été emmené de force au commissariat par la police, audition de quatre heures sans avocat, éventuellement suivie immédiatement d'une garde à vue de douze heures sans avocat ! Les pouvoirs publics sont-ils aveugles ? De qui le gouvernement est-il l'otage ? Le vent de la liberté s'était levé sur le sol de France ; il a soufflé jusqu'aux extrémités de la Terre. Il revient vers nous avec force. Aspirons-le à notre tour de toutes nos forces et à pleins poumons, sinon il nous balaiera. »

JUGEMENT :

Le 19 mai 2010, le tribunal de grande instance de Paris a condamné Patrice Ribeiro, le représentant du syndicat de policiers Synergie-officiers à verser un euro de dommages et intérêts à l'ordre des avocats et au syndicat des avocats de France. L'Ordre a, en revanche, été débouté de son action contre le Syndicat.

Le procès de Jérôme Kerviel

Le procès de Jérôme Kerviel s'achève sur un goût d'inachevé. Qui est Jérôme Kerviel ? Un trader fou enivré par l'appât du gain ? Ou bien le simple bouc émissaire d'un système financier à la dérive ? Trois semaines d'audience n'auront pas permis de percer le mystère de l'homme qui valait 5 milliards. Le 4 juin 2010, au premier jour de son procès, il arrive telle une rock star, lunettes fumées, veste sombre, chemise blanche. Se frayant difficilement un chemin parmi la meute des photographes, il lui faudra plus d'une demi-heure pour franchir les 100 mètres qui le séparent de la salle d'audience. 180 journalistes se sont fait accréditer, des envoyés spéciaux sont venus du Japon et, dans le public, des jeunes femmes enamourées lui réclament des autographes. Les procureurs – ils sont deux à siéger, preuve de l'importance que le ministère public accorde à cette audience ultra-médiatisée – l'attendent, eux, de pied ferme, convaincus qu'ils sont déjà de sa culpabilité. Le jeune homme est renvoyé devant le tribunal pour « abus de confiance, faux et usage de faux et introduction frauduleuse dans un système informatique ». Ces délits sont passibles de cinq ans de prison. Pendant tout le procès, Jérôme Kerviel se retranche derrière la même ligne de défense. Il admet avoir pris des risques insensés sur les

163

marchés financiers : « J'étais dans un monde irréel, dans une spirale folle, l'argent n'avait plus de valeur. » Mais, soutient-il, « dans un seul but : faire gagner de l'argent à la Société Générale ». Et de marteler : « La meilleure preuve de ma bonne foi, c'est que je n'ai pas gagné un euro en me lançant dans cette spéculation folle. » On connaît la fin de l'histoire : au mois de janvier 2009, la banque découvre, avec stupéfaction, que l'un de ses traders joue, dans son dos, avec des dizaines de milliards. La direction décide alors de liquider en catastrophe les positions prises par son employé et perd cinq milliards d'euros. La Société Générale a-t-elle été à ce point aveugle ? Cette question est au cœur du procès. Olivier Metzner, l'avocat de Jérôme Kerviel, fait citer des « témoins surprise » et transmet au tribunal des documents secrets, prouvant, selon lui, que la banque n'était pas, comme elle le prétend, frappée de cécité. Bien au contraire, poursuit Mᵉ Metzner, elle a volontairement fermé les yeux, laissant faire Kerviel, tant qu'il générait des profits. L'avocat instruit en réalité le procès de la Société Générale. Ce qui provoque la fureur de Jean Veil, le conseil de la banque. Les échanges entre ces deux ténors parisiens sont souvent très vifs. Les deux hommes multiplient les phrases assassines. L'accusation, elle, dénonce la duplicité du trader. Dans un réquisitoire d'une grande violence, le procureur Philippe Bourion compare le jeune trader à un serpent : « Avec Kerviel, il n'y a pas de brutalité directe, ce n'est pas un braqueur, il me fait penser à un reptile, le voilà accroché à votre jambe, vous n'y faites pas attention. Alors, tel un ana-conda, il enroule ses anneaux sur vous, et quand vous vous en rendez compte, il est déjà trop tard. » Le second représentant de l'accusation, Jean-Michel Aldebert, n'est pas en reste : « L'accusation d'un système, c'est trop facile. Vous jugerez un menteur, un manipulateur et un tricheur ! » Le ministère public réclame cinq ans de prison dont quatre années ferme. Jean Veil, lui aussi, s'insurge contre ce procès dans le procès qu'a tenté d'instruire son confrère Metzner. Rodé à l'exercice des grandes audiences, le conseil de la Société Générale a, à son compteur, la défense réussie de Dominique Strauss-Kahn dans l'affaire de la MNEF, celle du Crédit Lyonnais face à Bernard Tapie. Ce fou de travail, orfèvre de la procédure pénale, défend également Total ou BNP Paribas. Et un ancien président de la République, nommé Jacques Chirac.

PLAIDOIRIE PRONONCÉE PAR JEAN VEIL,
L'AVOCAT DE LA SOCIÉTÉ GÉNÉRALE, LE 24 JUIN 2010,
DEVANT LE TRIBUNAL CORRECTIONNEL DE PARIS.

« Monsieur le président, Mesdames du tribunal.
Tout au long de ce procès, poursuivant savamment une stratégie d'inversion des valeurs, la défense de Jérôme Kerviel a voulu faire le procès de la banque. Le trader délinquant a voulu reporter le poids de ses responsabilités sur son employeur. Ses armes : dénis, mensonges, messages simplistes et démagogiques. La défense a même soutenu que nous avions fait pression sur les témoins. Heureusement, Monsieur le président, grâce à vous, on a pu effectivement interroger Jérôme Kerviel et alors on a compris que cette extraordinaire histoire n'était que médiocre.
Les faits sont là et ils sont aveuglants. C'est l'histoire d'un faussaire, d'un truqueur, d'un menteur. Et vous jugez à longueur d'année des gens qui ne valent pas mieux que lui mais qui eux ne font pas la une des journaux. Les faits sont simples : il a commis des faux et des abus de confiance au détriment de la banque.

Le préjudice est considérable. Vous accorderez à la Société Générale les préjudices qu'elle réclame, c'est-à-dire 4,9 milliards. Un chiffre simple. Nous aurions pu demander beaucoup plus. Réclamer les intérêts, et prétendre aussi à la réparation du préjudice moral, du préjudice d'image pour l'entreprise, il est incalculable. Nous avons retenu ce chiffre par souci de compréhension. Nous réclamons 4,9 milliards d'euros. Nous savons que Kerviel ne les paiera pas, ils nous sont pourtant clairement dus.

Quel est le mobile de Jérôme Kerviel ? Quel est le mobile de ce trader emmuré dans sa tête ? Depuis le début de ce procès, cette question nous obsède.

Dans une affaire financière, les expertises psychologiques sont rares. Et pourtant, dans ce dossier, de telles expertises ont été réalisées, mais… elles n'ont rien donné. L'expertise a duré 12 h 15 minutes. Jérôme Kerviel à chaque instant se valorise, utilisant des expressions excessives. Finalement l'intéressé, depuis, n'a pas vraiment changé. Monsieur Kerviel est quelqu'un de tout à fait normal. Alors que s'est-il passé ? Si ce n'est pas un fou et si ce n'est pas un escroc, il existe une troisième hypothèse. Cette hypothèse c'est celle de la banalité et de la médiocrité. Jérôme Kerviel est tout simplement un joueur qui perd et qui rejoue pour se refaire. Kerviel perd de l'argent, alors il remet au pot pour se refaire, et il a de la chance, les marchés se retournent. Il perd la boule, il mise à nouveau, il gagne. Mais de qui se moque-t-on ? De qui vous moquez-vous, Monsieur Kerviel ? Non, il n'a jamais eu l'intention de faire gagner de l'argent à la banque ! Non il n'est pas cet employé modèle et dévoué au service de son entreprise ! Jérôme Kerviel s'est en réalité servi de la banque comme d'un casino ! Les salariés de la banque sont venus le dire. Monsieur Bouton, l'ancien P-DG, avait la voix qui tremblait, Monsieur Cordelle, l'ancien chef de Kerviel avait les larmes aux yeux, et dans leur émotion, ce qui était frappant, c'était de voir que le seul qui n'était pas ému, le seul qui ricanait, c'était lui, c'était Kerviel. Alors, il n'est pas fou puisqu'un expert est venu nous dire… J'en conviens… Mais, enfin… »

Auparavant les deux autres avocats de la Société Générale avaient eux aussi plaidé devant le tribunal. D'abord Jean Reinhart.

Jean Reinhart

« Jérôme Kerviel a trois cerveaux. Un premier pour exercer son activité normale, pour laquelle il est payé, un autre pour mentir, un dernier pour remettre du charbon dans la chaudière. C'est-à-dire, pour prendre toujours plus de positions à risques sur les marchés. Ainsi, le 18 janvier 2008, alors qu'il sait qu'il est foutu, alors qu'il sait que ses supérieurs ont démasqué sa supercherie, il va prendre pour 16 646 de contrats. Ce jour-là, il a traité plus de 3 milliards d'euros. Mais que peut-il bien se passer dans la tête de M. Kerviel ce 18 janvier ? »

Son confrère François Martineau, le troisième avocat de la Société Générale, croit avoir la réponse.

François Martineau

« Jérôme Kerviel est un manipulateur patenté… Il utilise un jargon incroyable qui fait que ses interlocuteurs ont peur d'avouer ne pas comprendre. Il joue aussi de sa réputation, il sait faire valoir son sérieux, il sait jouer aussi de sa position de trader senior au sein du *Desk Delta One*. Mais en réalité, tout ceci n'est que du vent, qu'un écran de fumée, pour dissimuler sa réelle activité. Car Jérôme Kerviel possède la capacité de dire tout et son contraire dans la même phrase. Face à un tel trafiquant de l'apparence, on comprend que tous ont pu être trompés par les explications mensongères de M. Kerviel, surtout si on ne soupçonne pas le mensonge, surtout si la parole manipulatrice s'accompagne de faux. Pour autant, Jérôme Kerviel, lui, avait conscience de la fictivité des opérations qu'il rentrait. Donc, le délit d'introduction frauduleuse de données dans une base informatique est constitué. L'autre délit, le faux est un délit très grave qui rompt la confiance. Cela montre la gradation du comportement de Jérôme Kerviel vers la dissimulation. En plus, c'est un faux matériel, que Kerviel a reconnu. Ces faux ont permis à Kerviel d'exposer la banque sur les marchés et de continuer à prendre des positions hors mandat. Là encore, le délit est constitué. Enfin, il y a l'abus de confiance. M. Kerviel a trahi la confiance de ses supérieurs. Ce délit, il le nie pour des raisons juridiques. Or, il n'y a aucune preuve qui a été apportée pour prouver que les supérieurs savaient.

En définitive, qu'avez-vous fait de votre talent, Monsieur Kerviel ? Qu'avez-vous fait de votre éducation, de votre capacité de séduction, de la confiance que la banque vous a donnée ? Vous les avez utilisés pour mentir, trahir, sans état d'âme. Monsieur Kerviel, vous êtes un expert dans la dialectique du mensonge. Une seule chose vous importait, la notoriété. Vous en avez oublié la vérité ! »

« Monsieur le président, regardez cet écran que l'huissier vient de déployer dans la salle d'audience. Regardez bien cette image qui s'affiche également sur votre ordinateur. C'est un plan du *Desk Delta One*. C'est un plan très précis du bureau que Jérôme Kerviel partageait avec tous ces collègues à la Société Générale. Des collègues qui étaient tous traders comme lui. Regardez bien : les traders sont installés à quelques centimètres les uns des autres. Il suffit que l'un d'entre eux tourne la tête pour voir très précisément ce qui s'affiche sur l'écran de l'autre. Exactement, Monsieur le président, comme l'assesseur qui est à votre droite peut, au moment où je vous parle, regarder l'image qui est sur votre écran. Et l'on voudrait prétendre que Kerviel a pu passer tous ses ordres sans que personne ne le remarque ! Et l'on ose affirmer que Jérôme Kerviel a pris des dizaines, des centaines de milliards de positions, sans que jamais personne ne se soit aperçu de rien ! 400 milliards d'euros de positions ! Le budget de la France ! Et personne n'a rien vu ! Personne n'a rien su ! Qui peut croire cela ! De qui se moque-t-on ? C'est pourtant ce que prétend la Société Générale. Cette société prétend que lorsque Jérôme Kerviel passait ses ordres au téléphone, au vu et au su de tous, au milieu de 17 autres employés, personne, je dis bien personne, n'a rien remarqué d'anormal. Mais quand Jérôme Kerviel passe un ordre de 18 milliards d'euros au téléphone, comment ne pas le remarquer ? Comment ne pas être surpris par ce chiffre astronomique ? Il s'agit du simple bon sens. Je vous demanderai d'avoir du bon sens,

Monsieur le président, Mesdames du tribunal. Monsieur le procureur qui a pour mission de requérir au nom de la société ? Eh bien, moi, j'ai plutôt le sentiment qu'il requiert au nom de la Société… Générale. Et, si vous avez du bon sens, vous le constaterez avec moi. Du bon sens, il vous en faudrait aussi, Maître Jean Veil ! Vous l'avocat de la banque. Vous, qui après avoir répété le contraire sur toutes les télévisions, sur toutes les radios, vous avez bien dû finir par admettre que non, Jérôme Kerviel n'était pas un escroc, que non, il n'avait jamais eu l'intention de voler un centime à la banque.

Alors aujourd'hui, nécessairement, vous butez sur le mobile. Et vous lui posez et reposez sans cesse la même question : Mais qui êtes-vous, Jérôme Kerviel ? Qui êtes-vous ? Pourtant l'avocat de la banque refuse de poser la seule question qui vaille : Qui êtes-vous Société Générale ? Comment fabriquez-vous des hommes comme Kerviel ? Comment avez-vous fabriqué ce jeune Breton arrivé tout droit de Bourg-l'Abbé ? Par quel moyen ? Par quel intérêt financier ? Comment Jérôme Kerviel s'est-il trouvé plongé dans ce monde virtuel ? Alors oui, moi je vous le demande, qui êtes-vous, Société Générale ? Vous nous dites que Jérôme Kerviel a transformé la banque en casino. Eh bien, je vais vous citer un ancien grand banquier, Jean Peyrelevade, l'ancien patron du Crédit Lyonnais. Il a été très clair dans une récente interview, il le dit textuellement, dans le contexte de la spéculation actuelle, "les banques peuvent se transformer en casino".

C'est un banquier qui le dit, et c'est bien de cela dont il s'agit. Non, ce n'est pas Jérôme Kerviel qui a fait de la Société Générale son casino personnel, c'est la banque elle-même qui s'est transformée, qui a muté. Cette banque, la société "Rouge et noire", un des fleurons de la banque mondiale, dont la prudence a explosé lors de la crise des subprimes. Cette banque qui encore aujourd'hui cache ses actifs pourris dans une banque à part, l'IEC, qu'elle a créée de toutes pièces. Cette banque, qui, dans une autre structure, la SGAM, a dissimulé 35 milliards de passifs pour ne pas effrayer les spéculateurs.

La spéculation folle… Voilà le monde dans lequel s'est retrouvé plongé Jérôme Kerviel ! Spéculation et hypocrisie ! À la Société Générale, ils nous disent aujourd'hui qu'ils respectent toutes les règles, qu'ils ne prennent aucun risque. Encore une fois, de qui se moque-t-on ? La banque vous dit qu'elle a risqué la faillite avec l'affaire Kerviel, encore faudrait-il connaî-tre précisément ses comptes ? Elle cite un chiffre de pertes : 4, 9 milliards. Mais ce qui est important pour Kerviel, ce n'est pas ce chiffre. La donnée essentielle, c'est la situation au moment où il a quitté la banque. Les pertes s'élevaient alors à 1,3 milliard. En choisis-sant de rendre public et d'imputer à Kerviel le chiffre de 4,9, cela permettait de masquer une autre perte, celle des subprimes, qui se chiffrait à 2 milliards. Voilà la réalité de ce dossier. La Société Générale est à contre-vérité. Regardons ses pertes, en 2007 et en 2008. La banque a les mêmes pertes. Ah oui, mais en 2008, Kerviel n'était plus là !

Aujourd'hui je défends un homme. Un homme face à un système. Celui de la Société Générale. À l'enten-dre, Jérôme Kerviel aurait trahi sa confiance. À l'enten-dre, il faudrait que des hommes seuls se contrôlent seuls. Comme un inspecteur des impôts qui se contrô-lerait lui-même. À l'entendre, tout reposerait chez elle sur la confiance. La confiance serait le principe de base d'une banque ; eh bien ! si vous avez un compte à la Société Générale, allez-y cet après-midi. Et dites :

"Donnez-moi huit millions d'euros !" Vous verrez si la Société Générale vous fait confiance ! La vérité c'est que, pendant trois ans, la banque avait les capacités techniques de vérifier les opérations de Jérôme Kerviel et qu'elle l'a laissé faire. Tacitement, la banque a autorisé les opérations frauduleuses de son trader. La banque n'a pas pu ignorer l'importance de telles transactions. La trésorerie de Kerviel était visible tous les jours, et ses résultats étaient en total décalage avec son activité. Si rien n'a été dit au prévenu, c'est qu'on a laissé faire [Nicolas Huc-Morel, collaborateur d'Olivier Metzner, dans une habile plaidoirie, plus technique, mais passionnante, avait, quelques minutes plus tôt, fait une analogie saisissante pour traduire ce « laisser-faire ». Imaginons les supérieurs de Kerviel comme les patrons d'une société de transport. Ils donneraient à leur employé les clefs d'une voiture qui va très vite. En lui disant qu'il faut respecter les limitations de vitesse. Et puis l'employé va de plus en plus vite, les courses qu'il effectuait en une heure ne lui prennent plus que 5 minutes. Et un jour c'est l'accident. Que vont dire les patrons de la société de transport : qu'ils avaient bien dit à leur salarié qu'il fallait qu'il respecte les limitations de vitesse. Pour autant, s'était interrogé Nicolas Huc-Morel, la responsabilité de cette société de transport n'est-elle pas évidente ?] La vérité, poursuit Olivier Metzner, c'est que la banque avait désactivé les limites individuelles normalement fixées au trader dans l'espoir d'un plus grand profit. Tout cela dans une logique du « pas vu pas pris ».

Monsieur le président, Mesdames du tribunal, le principal délit reproché à Jérôme Kerviel est un "abus de confiance". En l'occurrence, il n'en est rien. Jérôme Kerviel n'a pas pu abuser de la confiance de sa banque, car celle-ci ne pouvait pas ne pas savoir. Tout juste peut-on lui reprocher une faute professionnelle, mais ce n'est pas un délit, je réclame donc la relaxe sur ce point.

Je conclurai en m'interrogeant avec vous une dernière fois. Mais qui êtes-vous Monsieur Kerviel ? Eh bien, je crois avoir un début de réponse. Vous êtes un homme qui a été formé, formaté, déformé s'il le faut, par la Société Générale. Kerviel n'est que la créature de la Société Générale. Formé à désobéir, à ne pas respecter les limites. Peut-être s'est-il trop laissé entraîner dans les engrenages de ce monde virtuel, où l'on ne sait plus ce que les chiffres veulent dire. Et je citerai l'économiste américain John Galbraith : "À la bourse, quand tout le monde gagne, personne ne dit rien. Quand tout le monde perd, il faut un coupable, un seul." »

JUGEMENT :

Le 5 octobre 2010, le tribunal correctionnel de Paris a condamné Jérôme Kerviel à 5 ans de prison, dont 3 années de prison ferme, et à payer 4,9 milliards d'euros de dommages et intérêts à la Société Générale.

Jérôme Kerviel a fait appel de ce jugement. Le procès en appel devrait avoir lieu en 2011.

Le procès de l'Église de scientologie

La manipulation mentale, les pressions exercées sur les adeptes récalcitrants, les manœuvres destinées à plumer les naïfs pris au piège des théories de Ron Hubbard sont au cœur du procès qui s'ouvre en septembre 1996 devant le tribunal correctionnel de Lyon. L'instruction a débuté six ans plus tôt. Le 24 mars 1988, Patrice Vic, 31 ans, se jette du 12e étage de son appartement sous les yeux de sa femme Nelly. Depuis cinq mois, ce dessinateur industriel fréquentait assidûment le Centre de diadétique de l'Église de scientologie. Le jeune homme, dépressif, traverse une période de doute. La veille de son suicide, il se rend au centre, discute avec Jean-Jacques Mazier, le responsable de l'Église de scientologie de Lyon. Puis les deux hommes reviennent ensemble au domicile des Vic, essayant de convaincre Nelly d'emprunter 30 000 francs pour une cure de purification, une sorte de stage initiatique. Dans la nuit qui suit, Patrice Vic se suicide. Sa femme porte plainte. Au cours de l'enquête, une trentaine de victimes se manifestent auprès des services de police. Toutes estiment avoir été grugées par l'Église de scientologie. Pendant les dix jours de débats, le tribunal effectue une plongée dans le monde de Ron Hubbard et examine les méthodes utilisées pour attirer et fidéliser ses disciples.

« Cours d'audition », séances d'« électromètre », cure de « purification »… autant de « services » proposés aux adeptes, le but ultime étant d'atteindre un stade de « libération psychique ». Chaque prestation est dûment tarifée : 25 000 francs pour le cours d'audition, 12 000 à 30 000 francs pour la cure, etc. Si les adeptes ne peuvent pas ou plus payer, il leur est proposé de rembourser en journées de travail gratuites ou à peine rémunérées. Dans son réquisitoire, le procureur a retenu le délit d'escroquerie ou de complicité d'escroquerie contre une vingtaine de prévenus, tous responsables à des degrés divers de l'Église. Le Lyonnais Jean-Jacques Mazier, proche de l'adepte qui s'est donné la mort, est, lui, poursuivi pour homicide involontaire. « Le fonctionnement de l'Église de scientologie démontre sa perversité et sa dangerosité, affirme Thierry Ricard, le représentant de l'accusation. La scientologie manie plus la finance que la doctrine. » Les scientologues, eux, nient avoir exercé la moindre manipulation mentale. Ils dénoncent un « procès en sorcellerie », un « procès en hérésie ». C'est Jean-Yves Le Borgne, une figure du barreau parisien, qui défend Jean-Jacques Mazier. Président de l'Association des avocats pénalistes, puis vice-bâtonnier, cet avocat, licencié en philosophie, possède une voix de stentor. Pour le scientologue, il prononce une plaidoirie pleine d'ironie. Pointant habilement les contradictions de l'accusation, il s'interroge sur la liberté qui doit être laissée à chacun de croire en la religion de son choix.

« Messieurs du tribunal,

Je me pose la question du poids de l'opinion qui pèse sur vous. Dimanche dernier, à la messe de ma paroisse, je me demandais si, à la faveur d'une indiscrétion de télévision, on n'allait pas me dire : "Mais qu'est-ce qu'il fait là, l'avocat de la scientologie ?" Nous sommes tous diabolisés. Comme si la question ici n'était pas de dire si, oui ou non, l'escroquerie est constituée, ou si oui ou non M. Mazier peut être retenu dans les liens de la prévention de l'homicide involontaire.

Ma question est : pouvez-vous juger sereinement ? En marchant hier, je me demandais : seront-ils assez fous, assez héroïques ou les deux à la fois, pour prononcer une relaxe ? Seront-ils assez juristes pour avoir le courage d'affronter l'opinion comme nous l'affrontons depuis dix jours ?

On demande au tribunal de faire œuvre de prophylaxie sociale, de tenir compte du problème préoccupant des sectes. Parce qu'on ne sait pas quelle réponse apporter au problème, on refile le cactus au juge pénal. On a un peu trop tendance à le faire ces temps-ci.

D'ailleurs, le procureur de la République vous y a clairement invités hier. Le "trouble à l'ordre public", si je l'ai bien compris, c'est l'ensemble du mouvement sectaire. Ce n'est pas la scientologie, c'est Wacco, Aoum, Guyana. Vous devez vous méfier de cette pression.

Tout est diabolisé. On indemnise les victimes ? C'est mafieux. Si on ne les indemnise pas : c'est du mépris. La belle alternative !

On vous demande de faire de cette affaire ce que le garde des Sceaux a annoncé lui-même : un exemple. Il n'y a rien de pire qu'un exemple en matière judiciaire. L'exemple, c'est une manière de condamner quelqu'un non pour les fautes qu'il a commises, mais pour que les autres le voient...

Il y a peut-être un fléau des sectes – vous avez peut-être raison, Monsieur le procureur – encore faut-il faire le détail et ne pas pratiquer d'amalgame. Qu'il existe une séduction dans le phénomène sectaire, c'est certain. Mais la séduction est-elle coupable ? Mme Bovary ne relève pas du Code pénal. Rappelez-vous le prérapport parlementaire sur les sectes, celui de Mme Sauvaigo. Il était question de créer un nouveau délit, celui de « captation de comportement ». Un nouveau délit. Cela veut bien dire que, pour l'instant, il n'existe pas. Et fort heureusement.

Si vous avez le sentiment qu'on attend de vous une condamnation morale et non pas pénale, alors, vous relaxerez...

Nous vivons dans un monde où l'homme normal est un homme sans Dieu, sans attache. Nous sommes tous peu ou prou les fils de Freud et de Marx. Que cela nous plaise ou pas. Des êtres sans complexe, à qui on répète : "Débarrassez-vous de vos complexes, de la mère, de l'amour." Et qui entendent tous les jours : "La religion, c'est l'opium du peuple." À partir de là, qu'on soit scientologue aujourd'hui, ou chrétien demain, n'est-on pas déjà un peu coupable ?

Le père Trouslard, que je trouve finalement sympathique dans sa sincérité, est venu nous dire : "La secte est une dépendance." Je lui aurais bien répondu, dans une conversation privée : "Est-ce que toute appartenance n'est pas un peu une dépendance ? Est-ce que

177

toute appartenance n'est pas totalitaire ?" Protégeons-nous du "religieusement correct".

On nous a dit et répété qu'on ne voulait pas faire le procès de la scientologie, mais celui de vingt-trois scientologues. Mais lorsque je demande ce qu'on leur reproche à ces vingt-trois scientologues, on me répond : c'est qu'ils sont scientologues. Votre réquisitoire, fort long, Monsieur le procureur, était consacré aux trois quarts à la scientologie et à ce qu'elle est.

Nous ne sommes pas habitués à une autre religion que la nôtre. De là vient cette distance, ce rejet spontané parce qu'elle ne pense pas comme nous, qu'elle préconise une conception personnelle de Dieu qui ne nous est pas familière. On se dit : "Ce n'est tout de même pas en fouillant dans ma petite âme que je vais trouver la présence de Dieu... Comment, Dieu serait dans l'audition ? Et pourquoi pas dans le journal ? Attention, c'est une arnaque ! Une escroquerie peut-être."

Est-ce parce que ça nous est étranger que c'est coupable ? C'est vrai qu'on a un peu l'impression que la scientologie est un mélange : un peu de bouddhisme, un peu de christianisme, un peu d'hindouisme, qu'on a mis tout ça dans un shake-up, qu'on a ron-hubbardisé tout ça et qu'on vous le sert tout frais à votre audience. Mais vous ne devez pas le rejeter simplement parce que ça ne nous est pas habituel.

Car, dans cette affaire, on sent autre chose : le poids de l'Amérique, cette rupture entre l'Ancien et le Nouveau Monde dont ils sont pétris même quand ils n'y sont jamais allés. La scientologie est une technique, une standardisation de la croyance, vous a dit un universitaire. Vous pouvez rejeter cette technologisation de l'âme, mais pas les rejeter, eux, simplement parce qu'ils y croient...

Les pratiques de la scientologie heurtent-elles la loi ? Je sais que des témoins parlent de harcèlement. Mais

Lise T. a dit : "Je n'ai pas eu de problème." Pascal G. a dit : "Je suis parti quinze jours en vacances, je n'ai plus entendu parler d'eux." Corinne D. a dit : "Finalement je ne suis pas allée à Flag et je n'ai pas été relancée."

Que d'autres aient été relancés, quoi de plus normal ? Rappelez-vous votre vieux catéchisme… Le berger va chercher ses brebis égarées.

Mme Marie-Thérèse M., criant un peu, pleurant beaucoup, est venue nous dire sa souffrance. Elle est sûrement sincère. Mais ne raconte-t-elle pas l'histoire autrement qu'elle s'est déroulée ? Elle nous a dit qu'elle avait pris contact avec la scientologie en répondant à une offre d'emploi… Alors que dans un procès-verbal, le premier, elle dit en substance : "Je répondais à une annonce publicitaire promettant un mieux-être." Un mieux-être, ce n'est pas une promesse, ce n'est pas une offre d'emploi… Un de ses amis la décrit à ce moment-là "enthousiasmée" par la scientologie. Elle ne l'est plus aujourd'hui, c'est certain ! Mais cela ne signifie pas qu'elle ne l'ait pas été. Elle a dépensé 800 000 francs. Que n'a-t-elle dit non plus tôt ! Vous a-t-elle parlé de chantage ? Non. Elle a dit harcèlement. Vous-même, Monsieur le président, vous lui posez la question : pourquoi n'avez-vous pas dit non ? Et elle répond : par curiosité intellectuelle. Va-t-on interdire la curiosité intellectuelle ?

Marie-Thérèse M. a dépensé ces sommes parce qu'elle est séduite. Et la séduction, c'est la liberté. C'est vrai que la séduction s'exerce à fond sur Mme M. Vous lui demandez : "Vous faisait-on miroiter quelque chose ?" Je vous voyais venir avec les manœuvres frauduleuses au service de l'espoir chimérique. "Oui, répond-elle, on me promettait l'état de 'clair'." Elle l'a eu. Il n'y a pas de délit lorsqu'on propose quelque chose de clair à quelqu'un et qu'il est séduit. Elle explique comment elle devient fanatique de l'audition. "Ça devient comme une drogue", dit-elle. On s'est trompé de texte alors ! Il fallait invoquer le trafic de stupéfiants ! On peut regretter que la séduction s'exerce, mais si c'est la séduction qui s'exerce, ce n'est pas la contrainte.

Jean-Jacques Mazier vous a dit : "Il passe quatorze cents personnes par an à la mission, et nous sommes quarante." C'est peu. Ils essaient de convaincre, pas de contraindre. L'escroquerie, c'est une manière perverse d'attirer l'autre pour lui piquer son portefeuille. Là, non. On voit la conviction, la séduction. D'ailleurs on vous l'a déjà dit : 22 % des membres vont jusqu'au 2e niveau, 5 % jusqu'au 3e. Et je ne vous parle pas du 4e. La séduction a ses limites.

Nous avons grandi dans ce catholicisme où l'argent, c'est la faute. Rappelez-vous ce vieux mot de Balzac : "À l'origine de toute fortune apparente, se dissimule un crime caché." Tenez, Mazier. C'est le seul qui a de l'argent. Alors, c'est un criminel. Il dit : "C'est un héritage." On répond : ta-ta-ta-ta... Les autres gagnent 3 000, 5 000 francs par mois. C'est la preuve qu'ils sont sincères, qu'ils y croient. Ce n'est peut-être pas à dire dans cette bonne ville de Lyon, mais il faut être pauvre pour être respectable. Et puis il y a cette impudeur américaine, et les recettes de cuisine de Ron Hubbard qui expliquent comment demander de l'argent, comment en recevoir, tout cela vous a un côté proxénète... qui nous déplaît. Disons-le franchement. Mais c'est une condamnation morale personnelle.

Mazier n'est pas un démuni. C'est ce qui lui fait du grief. Il a quelques sommes rondelettes sur son compte en banque ; c'est vrai. Mais il apporte la preuve de ses revenus : il a vendu des parts, il a hérité. Je vous ai remis hier les documents qui prouvent l'origine de ces fonds. Il a vendu des parts et il a été porté 1 million de francs au crédit de son compte.

Alors on nous dit : "Comment ! Huit ans de procédure et c'est maintenant que vous apportez les justificatifs, mais vous vous foutez du monde, Mazier !" C'est vrai que mon client, qui n'est pas un nerveux, ne s'est pas précipité chez le juge d'instruction pour justifier ses revenus. C'est vrai. Il a préféré aller à Flag plutôt que de se plonger dans sa comptabilité. Mais la charge de la preuve incombe à l'accusation, encore, dans notre droit pénal. Le tribunal appréciera si ces justificatifs, même remis tardivement, sont la preuve des revenus de M. Mazier.

Et puis on nous a dit : "Son compte est crédité de comptes de tiers." Pardi ! Il ne va pas se faire des chèques à lui-même. Soyons honnêtes, il y a aussi des chèques de fidèles. Lorsque M. Mazier a créé la mission, il avance de l'argent. Il va construire sa mission, la nourrir. C'est son bébé. Il va acheter des tonnes de livres, payer le loyer, le dépôt de garantie. Et, de temps en temps, il se rembourse. Dans la rigueur comptable, il eût mieux valu que les chèques soient encaissés sur le compte de la mission et qu'elle le rembourse. On n'a pas fait comme cela. Bon.

C'est vrai que les comptes entre Mazier et ceux de la mission sont embrouillés. Il fallait les débrouiller. Et l'enquête – cinq ans d'enquêtes – ne l'a pas fait. Mais en l'état, il n'y a ni faute ni délit.

Quant au suicide de ce malheureux Vic, dont on a dit que Mazier, et plus généralement la scientologie, était responsable, dans un premier temps, le parquet a classé sans suite. C'était un suicide. On n'est pas allé chercher midi à 14 heures dans une procédure tardive. Mme Vic vous a dit : "Monsieur Mazier, c'est la goutte qui a fait déborder le vase." C'est donc que le vase était plein et que Patrice Vic n'était pas loin de commettre ce geste fatal peu de temps avant. Elle nous dit : "Depuis deux ans, il était dépressif." Alors qu'il ne fréquentait le Centre que depuis quelques mois. Elle nous dit encore : "Dimanche, il avait bu plus que de raison." Voilà un homme, et j'en suis le premier désolé, qui est dépressif depuis deux ans, qui s'adonne de temps en temps à la boisson, dont on apprend également qu'il a subi une opération au thorax parce qu'il avait un problème esthétique... ah bon ?... dû à une malformation congénitale... Comment ! Et le Dr Abgrall nous dit : "Non, rien de notoire dans l'état antérieur de Patrice Vic." Rien d'autre que dépressif, le projet de voir un psychiatre – que ne l'a-t-il fait ! – et une malformation congénitale entraînant un problème esthétique... Combien d'entre nous, dans cette salle, savent les souffrances que peut entraîner une malformation qui se voit...

Pourquoi faut-il que l'Église de scientologie soit responsable de ce suicide ? Soyons raisonnables. Revoyons nos classiques. Polyeucte dit : "La folie est chez les hommes." Pourquoi ne pas conclure comme le Dr Léry, qui parle d'une "décompensation névrotique d'une pathologie préexistante" ?

Me Llacer vous a dit habilement qu'il importait peu que le terrain soit favorable, dès lors que le lien de causalité était certain. Mais allez-vous vous autoriser à sonder les cœurs, pour savoir ce qui fait commettre le geste fatal à un homme ? Quel est l'élément déclenchant ? Est-ce la rencontre avec M. Mazier ou autre chose ? Allez-vous vous engager dans cette voie romanesque ? Comment sait-on la cause d'un suicide ? Pourquoi un homme est déchiré ou pas ? Vous avez dans cette affaire des délits hypothétiques, une escroquerie de circonstance, pour sanctionner une démarche intellectuelle. »

Le 22 novembre 1996, Le tribunal correctionnel de Lyon a condamné Jean-Jacques Mazier à 3 ans d'emprisonnement dont 18 mois avec sursis et 500 000 francs d'amende. En appel, il a vu sa peine réduite à 3 ans de prison entièrement couverte par le sursis.

COMBAT POUR L'INNOCENCE

L'affaire d'Outreau

L'affaire d'Outreau devrait rester comme l'une des plus ahurissantes erreurs judiciaires de l'après-guerre. En mai 2004, dix-sept personnes comparaissent devant les assises de Saint-Omer, accusées de faire partie d'un réseau de pédophilie, présentées comme de vrais monstres, qui vendent, violent et, parfois même, tuent des enfants. Il y a le curé sadique, l'huissier lubrique, la boulangère faisant commerce de cassettes pédopornographiques ou le chauffeur de taxi qui s'est rendu complice de cet odieux trafic. Le lieu du crime : la tour du Renard, une cité HLM qui, à en croire l'instruction, serait devenue un haut lieu du commerce d'enfants dans le nord de la France. C'est un conte d'ogre pour adulte. Parmi les accusés, treize se disent innocents. Ils sont dénoncés par les quatre autres, deux couples de voisins. Mensonges ou vérités ? Qui est coupable ? Qui est innocent ? Lorsque le procès démarre, personne, ou presque, ne croit aux dénégations des martyrs d'Outreau. Et puis audience, après audience, l'accusation s'effrite. L'inimaginable devient peu à peu vraisemblable. Les treize innocents ont été pris dans la spirale infernale d'une instruction menée exclusivement à charge. L'accusatrice principale, Myriam Badaoui, a réussi à mystifier le jeune juge Burgaud, la parole des enfants a été imprudemment sacralisée, les assistantes sociales, qui avaient dénoncé le pseudo-réseau, ont été abusées. Treize hommes et femmes ont subi des années de détention préventive pour rien. Des familles ont été brisées par ce cauchemar kafkaïen. Ce terrible constat est flagrant dès le premier procès d'Outreau. Et pourtant, la cour d'assises de Saint-Omer ne blanchit que sept accusés. Il faudra attendre le second procès en appel, à Paris, pour que les six autres innocents soient enfin à leur tour acquittés. Maître Hubert Delarue a vécu les deux procès d'Outreau. Il se souvient de l'arrestation de son client, l'huissier Alain Marécaux, de son transfert au palais de justice de Boulogne, de cette foule qui réclamait à grands cris « la peine de mort ». Il se rappelle surtout du jour où il a découvert, effaré, le vide du dossier. Aussitôt, il convoque une conférence de presse. « Aucun journaliste n'est venu, nous étions devenus aussi infréquentables que nos clients. » Hubert Delarue est un avocat solide comme le roc, un défenseur-né et un homme de cœur. À Saint-Omer, il a plaidé durant trois heures l'innocence d'Alain Marécaux.

PLAIDOIRIE PRONONCÉE PAR HUBERT DELARUE, AVOCAT DE L'HUISSIER ALAIN MARÉCAUX, LE 29 JUIN 2004 DEVANT LA COUR D'ASSISES DE SAINT-OMER.

« Mesdames, Messieurs.

En quelques instants, la vie d'Alain Marécaux a basculé pour toujours. Il est devenu ce notable dévoyé qui s'en allait satisfaire ses turpitudes et ses fantasmes dans les quartiers défavorisés de la banlieue boulonnaise. Il est devenu ce notable perverti qui s'en allait faire son marché d'innocence.

Dans cette affaire, l'émotion, la réprobation légitime que suscitent ces crimes terribles a tout emporté sur son passage. Les digues de la raison se sont rompues, les sécurités judiciaires se sont évanouies, le scénario du pire s'est mis en place : l'émotion tellement plus forte que la raison, la parole de l'enfant sacralisée qui devient une preuve, la pauvreté des investigations, la négation de la présomption d'innocence, l'inversion de la charge de la preuve, la procédure exclusivement menée à charge.

Mais, ne nous trompons pas, ce terrible dossier n'est ni un cas isolé, ni le fruit de l'inexpérience d'un jeune juge froid et distant. Ce dossier témoigne d'abord de l'évolution de la relation adulte-enfant dans une société qui se cherche de nouveaux repères, qui hésite et qui doute. Dans un système judiciaire marqué, quoi qu'on en dise, par le poids de l'aveu et par la prédominance du verbe, la parole sacrée ou sacralisée de l'enfant devient une preuve accablante devant laquelle, comme l'a si bien dit le psychiatre Bensoussan : "La raison abdique, la psychologie régresse, et le fantasme domine."

L'affaire de Myriam Badaoui – car plutôt que l'affaire dite d'Outreau, qui stigmatise injustement ce petit village du Boulonnais, on devrait dire, et ce serait tellement plus juste, l'affaire Badaoui – cette affaire illustre, jusqu'à la caricature, cette dérive sociale, morale et judiciaire qui nous interpelle, au-delà des hommes qui l'ont conduite, pour que nous retrouvions à l'avenir le chemin de la raison. Ce chemin qui protège la victime et préserve les innocents. Ce chemin qui refuse de remplacer une violence par une autre, évitant ainsi que l'innocence meurtrie ne devienne l'innocence meurtrière.

Faut-il se réjouir "d'avoir eu raison trop tôt", et d'avoir, tels des Cassandres, annoncé, dès le mois de mai 2001, que l'on faisait fausse route ? Faut-il que je rappelle qu'avec mon confrère Frank Berton, nous avons demandé, au tout début de l'année 2002, que cette affaire soit délocalisée ? En vain. Avec tous les autres, nous avons hurlé dans le désert de la pensée unique et du politiquement correct, alors même que nous étions tous infréquentables. Au nom de cette incompréhension, de ce sentiment d'inutilité, de l'humiliation, de la souffrance immense de celles et de ceux que nous accompagnons, faut-il que l'avocat devienne procureur, au moment où il est opportun d'ouvrir le procès de l'institution et de vous dire ce que nous avons sur le cœur. Ce moment viendra. Ce n'est pas le débat d'aujour d'hui. Ne nous trompons pas d'enceinte. Témoins et acteurs de ce procès exceptionnel, vous en avez Mesdames et Messieurs, saisi l'essentiel et progressivement compris comment le drame s'était joué et comment le piège diabolique s'était refermé sur tous ces innocents, dont la faute originelle était d'avoir, à un moment ou à un autre de leur existence, croisé le chemin de Myriam Badaoui ou de l'un de ses enfants martyrs. Myriam Badaoui est la clef de cette affaire.

Myriam a rencontré le juge Burgaud, son prince charmant, et elle est devenue "la reine Myriam". Personnalité immature, enfantine, capricieuse, futile, séductrice, manipulatrice, elle n'en restait pas moins, et de manière paradoxale, attachante, humaine. Pour la première fois de sa vie, on l'écoutait et on avait même "des égards". On la prenait au sérieux, elle existait et "plus que je dis, plus que vous voulez que je dise". C'est ainsi que, de petites vérités en gros mensonges, mêlant la réalité sordide de la tour du Renard, le fantasme et la fiction la plus totale, on est passé d'une triste mais banale affaire d'inceste familial à cette "saga judiciaire" qui a fait le tour du monde médiatique. Réseaux pédophiles, proxénétisme de dimension internationale, notables corrompus venant, à la dérobée, abuser d'enfants pauvres, ecclésiastiques pervertis, artisans dévoyés, Myriam a fait la synthèse de ce qu'elle avait vu, entendu, compris d'une affaire que l'on a médiatisée à l'excès. L'imagination de Myriam, débordante et débridée, a fait le reste. À première vue, c'était déjà grotesque, à la réflexion c'est encore pire. Car, plus le dossier avance, plus Myriam en rajoute et cela en devient totalement ridicule.

Le juge Burgaud va finir par le comprendre, mais trop tard. Il sera sauvé par sa mutation, mais le mal est fait, et comme le disait, bien mieux que moi, mon confrère Éric Dupond-Moretti, souvenons-nous que la justice n'a pas la culture de l'excuse. La faute originelle, ce n'est pas de s'être fourvoyé, mais bien d'y avoir persisté. Tout ce qui a été vérifié a invalidé les élucubrations de Myriam et de ses fils. Il en va ainsi de la piste belge, des films pédophiles, des recherches ADN, des perquisitions et des fouilles dans le jardin de Monsieur Delay. L'institution a malheureusement tenu tout cela pour inexistant, privilégiant, au-delà du raisonnable, la parole des enfants. Ce qui n'a pas été fait ou vérifié, malgré nos demandes insistantes, pressantes et réitérées, tout cela va permettre la réalisation du drame.

Et puis, la question fondamentale du dossier d'Outreau c'est : pourquoi cette inégalité des citoyens devant la loi ? Un traitement identique pour tous les mis en cause aurait rapidement démontré la totale absurdité des accusations portées. Pourquoi poursuivre les uns et écarter les autres, alors que des accusations semblables sont portées contre tous ? En refusant la mise en œuvre de ce principe élémentaire, objectivement indiscutable, le juge va "privilégier" les uns, qui seront durablement emprisonnés, et dont l'existence sera détruite, au détriment des autres, qu'il aura oubliés. À la question que je lui posais, "mais pourquoi cela ? Ce n'est pas logique", il me répondait invariablement "ne vous tracassez pas pour les autres, on verra plus tard". On a vu. Ces hommes et ces femmes sont venus témoigner devant vous et ce fut "le carnaval des innocents chanceux". C'est, je crois, la faute la plus grave qui ait été commise à la justification de laquelle le juge Burgaud n'a jamais apporté réponse. Il était insuffisant, illusoire et dangereux, de croiser la parole d'une mythomane avérée avec celle d'un enfant fou, comme l'a qualifié, dans son réquisitoire, Monsieur l'avocat général, et de faire reposer l'essentiel, que dis-je, toute la procédure sur ce tandem branlant de l'enfant Dimitri et de Myriam. Il aurait fallu passer cette parole fantasmée, évolutive, contradictoire, mensongère au tamis des éléments objectifs et susceptibles d'être matériellement vérifiés, ce qui aurait conduit d'abord à relativiser celle-ci et ensuite, bien sûr, à l'écarter. Ça n'a pas été fait ! Le juge Burgaud a pris pour argent comptant les délires de Myriam. Chacun d'entre vous a gardé en mémoire les lettres qu'elle lui adressait du fond de sa prison et qui en disent long sur la relation d'emprise et de séduction qui s'est progressivement tissée entre eux. Enfin, il convenait de ne pas minimiser, dans une affaire aussi terrifiante, le poids d'une puissance médiatique, naturellement orientée, les effets de la rumeur et de la contamination des enfants entre eux, mais également des "adultes croyant bien faire", comme ces assistantes maternelles au grand cœur qui vont "mener l'enquête", en référant à l'administration départementale, dont le mérite principal est de n'avoir rien vu pendant quatre ans et d'avoir mis ensuite "les bouchées doubles" pour rattraper leur retard... Comme pour se faire pardonner.

Mesdames, Messieurs lorsque l'institution judiciaire s'éloigne ou s'affranchit de ses principes fondateurs, alors, la porte est grande ouverte à l'erreur judiciaire parce que la justice au fond devient totalitaire. »

VERDICT :

Le 2 juillet 2004, la cour d'assises de Saint-Omer a condamné Alain Marécaux à 18 mois de prison avec sursis pour attouchements sexuels. L'huissier a fait appel. Le 1er décembre 2005, la cour d'assises de Paris l'a acquitté.

L'affaire Seznec

L'affaire Seznec défraie la chronique judiciaire française depuis bientôt un siècle.

Le 25 mai 1923, au petit matin, Guillaume Seznec, Maître de scierie à Morlaix et Pierre Quémeneur, conseiller général du Finistère quittent Rennes pour rejoindre Paris en Cadillac. Associés depuis plusieurs mois, les deux Bretons roulent vers la capitale pour y négocier un contrat de vente d'automobiles. Pierre Quémeneur est à la recherche de « belles américaines » laissées sur le continent après la guerre par l'US Army. Sur la route, les pannes se succèdent et Pierre Quémeneur craint d'arriver en retard à son rendez-vous parisien. Il se décide donc à prendre le train à Houdan. Les deux associés se quittent devant la gare. On ne reverra jamais Pierre Quémeneur. Ni vivant, ni mort. Une enquête est ouverte : un conseiller général a disparu, il faut trouver un coupable. Et vite. Seznec est aussitôt suspecté. L'enquête et l'instruction sont conduites au pas de charge. Pas de cadavre, pas de preuve, pas de mobile, pas d'aveu… Qu'importe. Le maître de scierie est inculpé pour assassinat et renvoyé devant les assises. Le 24 octobre 1924, lorsque s'ouvre son procès, l'affaire fait les gros titres de la presse nationale et, déjà, les journaux sont partagés : *Le Petit Parisien* croit en la culpabilité de Seznec, *L'Humanité* plaide pour son acquittement. Après huit jours d'audience et l'audition de cent vingt témoins, il est déclaré coupable et condamné aux travaux forcés à perpétuité. Le rideau est tombé. L'affaire Quémeneur est terminée, l'affaire Seznec ne fait que commencer.

En 1927, le maître de scierie est envoyé dans un camp à Saint-Laurent-du-Maroni, en Guyane française, puis transféré aux îles du Salut. Mais le bagnard continue de crier son innocence et, en métropole, son épouse, Marie-Jeanne, se démène pour faire éclater la vérité. En vain. Les courriers de demande de révision dont elle inonde le ministère de la Justice demeureront toujours lettre morte. Dans les années 1930, les campagnes en faveur du prisonnier se succèdent : meetings, réunions publiques, manifestations. La presse multiplie les révélations. Le 18 février 1934, événement rarissime dans les annales de la justice française, six des jurés regrettent leur verdict. Dans une lettre commune qu'ils font porter à la chancellerie, ils réclament à leur tour la révision. Nouvelle réponse négative. Guillaume Seznec sera finalement gracié le 2 février 1946 par le général de Gaulle. Un an plus tard, il débarque en France, accueilli comme un héros, faisant une fois de plus la une de tous les magazines. En 1953, il décède dans un accident de la circulation.

Son petit-fils Denis est alors âgé de six ans. Il a vu trois générations de femmes (la mère de Guillaume Seznec, sa femme, sa fille) se succéder pour obtenir la révision du procès. À partir des années 1980, il se décide à reprendre lui-même le flambeau. Il va y consacrer ses journées et ses nuits durant un quart de siècle. À treize reprises, ses requêtes en révision sont rejetées. Le 24 janvier 2005, il se présente devant la Cour de cassation pour une quatorzième demande, assisté de Me Baudelot.

Le réservé Yves Baudelot courtise peu les médias (même s'il est l'avocat du *Monde*). Cette discrétion ne l'empêche pas d'être redoutablement efficace dans toutes les grandes affaires qu'il a plaidées : Urba (financement du parti socialiste), le scandale de l'hormone de croissance, le dossier noir de la SNCF (procès intenté à l'entreprise pour son rôle dans la déportation des Juifs de France)... Cet « homme de dossier » s'est aussi investi corps et âme dans la défense de Dany Leprince (un agriculteur condamné pour un quadruple assassinat à la feuille de boucher), obtenant l'une de ses plus belles victoires, peut-être celle dont il est le plus fier. Au printemps 2010, la Cour de cassation a en effet accepté de remettre Dany Leprince en liberté le temps qu'elle réexamine son dossier. Une décision rarissime.

Cinq ans auparavant, c'est devant la même juridiction qu'Yves Baudelot, Breton d'adoption et de cœur, plaide – aux côtés de Jean-Denis Bredin – pour la mémoire de Guillaume Seznec. Il parle devant des magistrats professionnels et s'attache donc à revisiter méticuleusement un dossier vieux de 82 ans.

PLAIDOIRIE PRONONCÉE PAR YVES BAUDELOT
LE 5 OCTOBRE 2006 DEVANT LA COUR DE CASSATION
POUR OBTENIR LA RÉVISION DU PROCÈS
DE GUILLAUME SEZNEC.

« Mesdames, Messieurs de la cour,

La condamnation de Guillaume Seznec a été prononcée en 1924, soit il y a 82 ans. Presque un siècle déjà.

D'aucuns pourraient s'interroger sur l'intérêt d'une demande de révision portant sur des faits aussi anciens. Cependant, malgré l'ancienneté de cette condamnation, le dossier de Guillaume Seznec est bien toujours d'actualité. Et même plus que jamais. Pourquoi ? Parce que l'injustice d'une condamnation est ineffaçable ! Parce que Guillaume Seznec a toujours clamé son innocence ! Parce que le combat qu'il a mené pour la faire reconnaître a été repris par sa femme, par ses enfants, et aujourd'hui par son petit-fils, pour lequel la réhabilitation de son grand-père est devenue sa raison de vivre ! Enfin, parce que après que Guillaume Seznec a subi 23 ans de bagne, sa famille ne peut se satisfaire que le général de Gaulle ait commué la réclusion à perpétuité en une peine de 20 ans de prison et permis au bagnard de retrouver la liberté ; même si c'était un geste important sur le chemin de la réhabilitation.

Oui, ce dossier est toujours d'actualité. Les innombrables soutiens qui sont adressés tous les jours à Denis Seznec par des inconnus ou par des personnalités les plus diverses, le prouvent, s'il en était besoin.

Certes, treize requêtes en révision ont été auparavant rejetées. Mais la Cour ne saurait y voir de précédents. En effet, douze décisions de rejet ont été rendues sous l'empire d'une loi qui imposait que la défense produise des faits nouveaux de nature à établir l'innocence du condamné. Or, cette preuve était pratiquement impossible à apporter. Les conditions qui étaient alors exigées pour obtenir la révision d'une condamnation ignoraient le principe fondamental selon lequel le doute doit bénéficier à l'accusé. Depuis, la loi a changé. Elle prévoit désormais qu'il suffit qu'un fait nouveau apporte un doute sur la culpabilité du condamné pour qu'une révision de sa condamnation soit possible.

Remontons le temps. En vérité, depuis qu'il a été condamné en 1924, le doute a toujours existé sur la culpabilité de Guillaume Seznec.

Rarement même, dans les annales judiciaires, les doutes ont été et sont si nombreux.

En premier lieu, le corps de Pierre Quémeneur n'a jamais été retrouvé. Nous n'avons donc aucune certitude sur sa mort. Le fait que son corps n'ait pas été retrouvé est d'autant plus significatif que, selon l'accusation, le meurtre serait intervenu dans la nuit du 25 au 26 mai 1923 entre 22 h 10 et 5 h 30. Compte tenu de ces délais, la zone dans laquelle le corps de Pierre Quémeneur aurait pu se trouver est donc nécessairement limitée.

Ensuite, on ne sait rien sur l'arme du crime, ni sur les conditions dans lesquelles Guillaume Seznec aurait fait disparaître le corps de Pierre Quémeneur. L'absence de toute information à cet égard est capitale. Comment, en si peu de temps, de nuit, et dans une région qu'il ne connaissait pas, Guillaume Seznec aurait pu faire disparaître le cadavre de Pierre Quémeneur ? Sans compter qu'aucune trace de coup ou de violence n'a été retrouvée. Ajoutons que le meurtre pour lequel Guillaume Seznec a été condamné n'a pas eu de témoins et que l'accusation n'a jamais pu se prévaloir d'un aveu de Guillaume Seznec puisqu'il a toujours contesté avec la plus grande véhémence les accusations portées contre lui. Le meurtre imputé à Seznec est d'autant plus étonnant que si, comme le prétend l'acte d'accusation, la voiture dans laquelle se seraient trouvés Quémeneur et Seznec avait quitté la gare de Houdan à 22 h 00, c'est entre 22 h 10 et 23 h 00, c'est-à-dire dans un temps étonnamment court, que Seznec aurait fait disparaître Quémeneur. Un témoin, Monsieur Dectot, qui rentrait chez lui à bicyclette a en effet, déclaré avoir vu les phares de la voiture de Seznec immobilisée à partir de 22 h 30, être arrivé à sa hauteur à 23 h 00, y avoir constaté que Seznec était seul "cet homme était seul. Cet homme était

seul. J'en suis certain [...] Je n'ai vu personne avec lui".
Monsieur Dectot précise avoir demandé à Seznec s'il
avait besoin d'aide, n'avoir remarqué aucune trace de
violence ni aucun signe d'émotion chez Seznec et, alors
qu'il s'éloignait en continuant son chemin, avoir été
rappelé par Seznec qui lui a demandé s'il était bien sur
la route de Versailles.

Le témoin Dectot a décrit chez Seznec un comportement qui est incompatible avec le fait qu'il ait pu,
quelques minutes auparavant, tuer un homme et le faire
disparaître. Ainsi donc, Seznec aurait disposé de 13
minutes pour tuer Quémeneur, pour effacer toute trace
sur lui et pour faire disparaître le corps de Quémeneur
dans une région qui lui était inconnue. Quelle maîtrise !
Mais il y a plus incroyable encore.

Selon l'acte d'accusation, Pierre Quémeneur aurait
été tué dans la nuit du 25 au 26 mai 1923. Or, le 26 mai
1923, c'est-à-dire le lendemain du jour où il aurait disparu, Quémeneur était à Paris où il a été vu par trois
personnes : Monsieur Begue, Monsieur Le Her et Monsieur Petit.

Plus surprenant encore, le 27 mai 1923, c'est-à-dire
le surlendemain du jour où il aurait été tué, Quémeneur
a été vu le matin en gare de Rennes par Monsieur
Danguy des Desserts. Et, dans l'après-midi de ce même
27 mai 1923, il a encore été vu en gare de Guingamp
par Monsieur Bolloch qui l'a pris dans son taxi pour le
conduire à Traou-Nez-en-Plourivo. Comment, au vu
des déclarations de l'ensemble de ces témoins, la cour
de révision pourrait-elle refuser la réouverture des
procès qui a été demandée par 6 des membres du jury
qui a condamné Seznec ?

J'en viens maintenant aux irrégularités de l'enquête.
Elles sont innombrables et sont apparues au fil du
temps. Elles étaient donc ignorées des premiers jurés

qui ont condamné Seznec. La thèse de l'accusation est connue. Dix-huit jours après le meurtre, le 13 juin 1923, Guillaume Seznec se serait trouvé au Havre puisque quatre témoins l'auraient vu y acheter une machine à écrire. Sa présence au Havre ce jour-là établirait nécessairement sa culpabilité puisque, ensuite, c'est avec cette machine à écrire que Guillaume Seznec aurait tapé la fausse promesse de vente qui a été retrouvée dans la valise de Quémeneur. Une machine que les policiers découvriront lors d'une perquisition opérée le 6 juillet 1923 dans un grenier de la maison de Seznec.

Mais après la condamnation de Guillaume Seznec, des faits nouveaux ont retiré toute crédibilité aux témoins du Havre et à la découverte de la machine à écrire. L'un des enquêteurs de l'époque est l'inspecteur Bonny. Celui-là même qui, vingt ans plus tard, sera l'adjoint d'Henri Lafont, le chef de la Gestapo française. Le fait que l'enquête sur la disparition de Quémeneur ait été dirigée par le commissaire Vidal n'empêche pas que l'inspecteur Bonny y a joué un rôle essentiel, ainsi qu'en témoignent les pièces du dossier et les articles de presse de l'époque. Or il apparaît que les témoins du Havre qui auraient vu Seznec acheter la machine à écrire se sont révélés être des personnes qui connaissaient personnellement l'inspecteur Bonny. Il apparaît aussi que Bonny a très bien pu "apporter" la machine à écrire dans le grenier de Seznec. L'inspecteur Bonny était coutumier des fraudes et des machinations en cours d'enquêtes. Il a en effet été renvoyé de la police en raison de fautes graves qu'il avait commises, notamment par la fabrication de faux documents dans l'affaire Stavisky. Puis il a mis ses talents au service de la Gestapo. Les essais sur la machine à écrire ont été effectués bizarrement le jour de sa découverte, de façon illégale alors que Seznec est en prison et son épouse et la domestique sont absentes de la maison. Cette perquisition n'a donc pas eu de témoins. Vous vous rendez compte ! Et puis écoutez bien… C'est extrêmement grave… un fait nouveau absolu ! Selon une nouvelle expertise, il semble très probable que les deux promesses de vente qui ont été retrouvées lors de l'instruction n'ont pas été tapées par la même personne. Il apparaît, en effet, une différence de doigté consistant en un fréquent rebondissement de la lettre "é" sur l'exemplaire de la vente de Guillaume Seznec alors que, sur l'exemplaire de Pierre Quémeneur, aucun rebondissement n'est observé. En revanche, on retrouve les mêmes rebondissements de la lettre "é" sur le fac-similé dactylographié par un fonctionnaire de police sur place lors de la perquisition. Cela signifie que les enquêteurs, sous l'impulsion de l'inspecteur Bonny, ont fabriqué des preuves autour d'une machine à écrire que Seznec n'a jamais achetée ni possédée.

Il y a dans cette affaire des doutes colossaux ! Étant donné que le doute est désormais seul requis, si ce n'est pas dans cette affaire, quand le sera-t-il ? Mais quand le sera-t-il ? Si vous n'innocentez pas Guillaume Seznec, alors la loi de 1989 ne sera jamais appliquée. »

À l'issue de la plaidoirie d'Yves Baudelot, l'autre avocat de Guillaume Seznec, Maître Jean-Denis Bredin a pris la parole en détaillant la carrière trouble de l'inspecteur Bonny. Puis l'avocat a expliqué à quel point, lors de son premier procès, Guillaume Seznec fut peu ou mal défendu. Son conseil, un jeune avocat, plaidait pour la première fois devant une cour d'assises. Jean-Denis Bredin a conclu son intervention par la lecture de la dernière lettre de Guillaume Seznec à sa femme, Marie-Jeanne, avant son départ pour le bagne. Dans un silence absolu, il l'a lue en détachant chaque mot.

« Ma très chère Jeanne,

« Je commence par t'annoncer que depuis le 23 écoulé, je n'ai pas eu de lettre de toi ; je sais cependant que deux lettres sont venues à Saint-Martin-de-Ré à mon nom. Toutes deux ont été retenues par Monsieur le directeur, donc je suis sans nouvelles de toi. Le départ est fixé au 7 avril et je suis du nombre. Dans 9 jours donc, ma très chérie, je dirai adieu à la France de laquelle il ne peut me rester un bon souvenir. Et cependant, comme je te l'ai déjà dit, dans mon éternelle existence, pour toi sera mon dernier soupir.

Aujourd'hui je te dis adieu parce que je ne te verrai plus, pas plus que mes chers petits-enfants auxquels je n'écris pas particulièrement car cela ne ferait qu'augmenter leur douleur. Tu les embrasseras de toutes tes forces pour moi, et leur diras tout ce que contient mon cœur pour eux, car je sais que mes expressions ne pourront jamais être aussi claires que ce que tu devineras toi-même.

Celle-ci est la dernière lettre que je t'écris de France. J'ajoute de la France car on ne sait jamais, tu n'ignores pas que le voyage qu'on va me faire entreprendre est terrible surtout dans les conditions où nous le faisons. Mais sois convaincue que la mort pour moi n'est rien, c'est plutôt une délivrance, surtout pour qui ne peut rien espérer.

Je t'en prie, ma très chère Jeanne, n'essaie pas de venir voir mon départ car notre douleur serait trop horrible, pour l'un et l'autre, cela a été de même pour tous ceux qui ont quitté dans les mêmes conditions.

Je te dis encore une fois adieu ! Adieu, adieu et adieu ! Au ciel ! »

Lors de cette audience, Denis Seznec a pris la parole en dernier pour défendre la mémoire de son grand-père. « Au bagne, a-t-il dit, l'espérance de vie moyenne était de 4 ans. 2 % des condamnés seulement revenaient vivants. Afin de rompre tout lien affectif, on proposait aux épouses des condamnés à perpétuité de divorcer en contrepartie des biens du forçat. Marie-Jeanne Seznec a été la seule femme de bagnard à refuser. Mon grand-père lui avait pourtant écrit : "Accepte ce divorce du diable, tu resteras ma Marie-Jeanne dans mon cœur." S'il y avait eu le moindre doute sur l'innocence de mon grand-père, croyez-vous que ma famille se serait battue ainsi sur quatre générations ? Mon frère s'est suicidé, mon neveu aussi. Nous avons été détruits. »

DÉCISION :

Le 14 décembre 2006, la Cour a rejeté la demande de révision. Elle a estimé qu'il n'y avait aucun élément nouveau susceptible de faire naître le doute sur la culpabilité de Guillaume Seznec. Selon elle, la participation de l'inspecteur Bonny à une machination policière n'a pas été prouvée.

Le procès de Patrick Dils

L'idée de l'erreur judiciaire est toujours choquante, elle l'est encore plus quand elle frappe un adolescent de 16 ans. Patrick Dils fut le plus jeune condamné à perpétuité de France. Il n'avait pas eu le temps de commencer sa vie d'homme qu'il se retrouvait enfermé entre quatre murs.

Le 28 septembre 1986, au bord d'une voie de chemin de fer de Montigny-lès-Metz (Moselle), Cyril et Alexandre, deux garçons âgés de 8 ans, sont retrouvés morts, la tête écrasée par des coups de pierre. Patrick Dils, un apprenti en restauration, fragile, timide un peu immature est interpellé parce qu'il habite dans la même rue que les deux victimes. Il est finalement laissé en liberté mais, sept mois plus tard, il est à nouveau arrêté. Cette fois, les enquêteurs ne vont pas le lâcher. Patrick Dils commence par nier sa présence sur les lieux du crime. Les policiers insistent, questionnent, interrogent sans relâche ; le jeune homme finit par craquer, il avoue le double crime. Un mois plus tard, il se rétracte. Il écrit une lettre à son avocat qu'il signe « l'innocent incompris ». Mais la machine judiciaire est déjà en route. Il est jugé, condamné et incarcéré.

Patrick Dils serait peut-être encore aujourd'hui derrière les barreaux si, en 1998 – soit près de dix ans après sa condamnation –, son nouvel avocat, Jean-Marc Florand, n'avait fait cette découverte stupéfiante : le jour où les deux garçonnets ont été atrocement assassinés, Francis Heaulme, l'un des plus redoutables *serial killers* français, surnommé « le routard du crime », se trouvait à Montigny-lès-Metz ! Le tueur en série a reconnu devant un enquêteur de la gendarmerie qu'il avait « reçu des pierres jetées par les deux enfants » et que quelques minutes plus tard, il avait « vu leurs corps ». Ces déclarations ne sont pas à proprement parler des aveux mais elles font naître suffisamment de doute pour que la condamnation de Patrick Dils soit annulée. En juin 2001, le jeune homme, alors âgé de 31 ans, est à nouveau jugé et… à nouveau condamné. Francis Heaulme, convoqué comme témoin devant la cour d'assises, a en effet nié être l'auteur du double crime. L'« innocent incompris » est alors confronté à un terrible dilemme. Soit il accepte le verdict des jurés et il peut espérer une remise de peine. Soit, il fait appel mais il prend le risque, en cas de troisième condamnation, de ne bénéficier d'aucune indulgence et d'écoper du « maximum ». Il se décide avec courage pour un ultime procès. Cette fois, son innocence est enfin reconnue. Le 24 avril 2002, il sort de prison. Il y aura passé quinze années. Avec les 700 000 euros de dommages et intérêts qu'il a touchés en réparation des errements de la justice, il s'est acheté une petite maison dans le Territoire de Belfort. Aujourd'hui, à 40 ans, il travaille comme cariste dans une usine, s'essaie à la chanson avec des amis musiciens, et se rend, plusieurs fois par an, dans les écoles pour témoigner du drame qu'il a enduré.

Jean-Marc Florand l'a accompagné pendant quatre ans dans sa bataille. Cet ancien professeur de droit est un avocat iconoclaste et inclassable. Ex-disciple de Jacques Vergès mais présenté un temps comme proche de l'extrême droite (ce qu'il dément farouchement). Fervent catholique mais auteur, avec son confrère Karim Achoui (qui défendit Dils avec lui), d'un guide juridique (*Homosexuels : 101 réponses pratiques*) ou concepteur du PACS avec le sénateur socialiste Jean-Marc Michel. Aujourd'hui, il n'a rien oublié de ce jour d'avril 2002 où il a joué son dernier atout pour l'« innocent incompris » : « Je parlais en ayant le sentiment physique de le porter sur mes épaules. Ces deux heures de plaidoirie demeurent les plus belles et les plus angoissantes de ma vie d'avocat. »

PLAIDOIRIE PRONONCÉE LE 24 AVRIL 2002
PAR JEAN-MARC FLORAND, AVOCAT DE PATRICK DILS
DEVANT LA COUR D'ASSISES DES MINEURS DU RHÔNE.

« Mesdames, Messieurs,
"Beati qui non viderunt et fermiter crediderunt innocentem !" Heureux ceux qui n'ont pas vu et qui pourtant ont cru à l'innocence !

J'ai l'honneur de me présenter devant vous dans l'intérêt de Patrick Dils. C'est en effet un honneur pour moi de défendre Patrick Dils, dont je suis convaincu de l'innocence, sinon je ne l'assisterais pas depuis 7 ans. Lui qui a été condamné par la justice de son pays une première fois, le 25 janvier 1989, à la perpétuité par la cour d'assises de la Moselle, sans lui accorder les circonstances atténuantes ou même l'excuse de minorité, ce qui a valu à la France les remontrances du Conseil de l'Europe.

Cette condamnation des jurés de la Moselle a été anéantie par l'arrêt rendu par la cour de révision le 3 avril 2001. Cette cour n'avait alors annulé que six décisions depuis 1945. Et c'était la toute première fois que la procédure de révision concernait un mineur, condamné à perpétuité, et qui avait déjà purgé 15 longues années de détention.

Suite à l'annulation de sa condamnation, Patrick Dils a donc été rejugé. Il a été condamné une deuxième fois par la cour d'assises de la Marne le 29 juin 2001, sans circonstances atténuantes et sans excuse de minorité et, fait extraordinaire, alors même que Monsieur l'avocat général Sarcelet avait demandé son acquittement. Il a fait appel de cette décision.

Aujourd'hui, à l'heure de son troisième procès, vous devez donc oublier les deux condamnations précédentes de Metz et de Reims, même si ces deux juridictions ont commis la même terrible erreur d'appréciation, qu'il faut bien appeler erreur judiciaire, en condamnant un innocent totalement étranger aux faits criminels monstrueux, barbares, qui se sont déroulés le 28 septembre 1986 à Montigny-lès-Metz et qui ont fait de ce jour, selon la formule de la messe traditionnelle des morts, *Dies illa, dies irae,* un jour terrible, un jour de colère.

C'est aussi un honneur pour moi que de m'être battu et d'avoir obtenu pour Patrick Dils que ce procès de Lyon soit public, en obtenant à l'arraché le vote de la loi qui permet non seulement à un homme de 31 ans d'être jugé publiquement et non pas à huis clos, comme à Reims. Une loi qui permet aussi à la justice d'être plus transparente, donc plus démocratique. Si j'avais un doute sur sa culpabilité, je n'aurais pas souhaité la publicité des débats. Enfin, c'est un honneur pour moi de défendre Patrick Dils aux côtés du bâtonnier Bertrand Becker qui l'avait déjà défendu seul contre tous, avec courage, en 1989, persuadé qu'il était de son innocence.

Aujourd'hui, j'ai la certitude que, dès son premier procès, la seule lecture du dossier permettait d'établir que Dils ne pouvait pas être le meurtrier de Montigny-les-Metz, l'auteur du carnage abominable qui a retranché du monde des vivants deux enfants innocents, Cyril et Alexandre, et endeuillé durablement les deux familles Beining et Beikrich devant chacune desquelles je m'incline, en tant, non seulement qu'avocat, auxiliaire de justice, mais aussi en tant que chrétien.

Oui, Patrick Dils aurait dû déjà être acquitté en 1989 et en 2001. Mais, vous disposez, aujourd'hui, d'un nouvel élément que n'avaient pas en leur possession les jurés lors des précédents procès. Cet élément nouveau s'appelle Francis Heaulme, déjà condamné de nombreuses fois pour des crimes particulièrement épouvantables dont le mode opératoire utilisé se caractérise toujours notamment par une extrême violence. Il faut rappeler que Francis Heaulme a été condamné par la cour d'assises du Finistère à 20 ans de réclusion criminelle pour le meurtre d'Aline Peres, condamné par la cour d'assises de la Moselle à la réclusion criminelle à perpétuité pour le meurtre de Laurence Guillaume, condamné par la cour d'assises du Var à la réclusion criminelle à perpétuité pour le meurtre de Joris Viville, condamné par la cour d'assises de la Meurthe-et-Moselle à 30 ans de réclusion criminelle pour le meurtre de Lyonnelle Gineste, condamné par la cour d'assises du Pas-de-Calais à 15 ans de réclusion criminelle pour le meurtre de Jean Rémy.

Vous l'aurez compris, la présence de Francis Heaulme attestée par les gendarmes sur les lieux du crime est fondamentale, car elle explique les incohérences qui ont entraîné la prétendue culpabilité de Patrick Dils et elle permet de démontrer sa totale innocence.

Vous allez avoir maintenant la lourde responsabilité de juger Patrick Dils en votre âme et conscience et de faire part de votre intime conviction, si vous en avez une. Si vous l'estimez innocent, vous devrez obligatoirement l'acquitter, sans penser aux conséquences judiciaires de cet acquittement en termes d'image de la justice par rapport aux erreurs judiciaires, sans penser à la douleur des familles des victimes à qui l'on retire le coupable désigné depuis 16 ans. Vous n'écouterez pas plus les sirènes des gardiens du temple qui incitent au conservatisme au nom du judiciairement correct et pour qui une grande injustice vaut mieux qu'un grave désordre. D'autant plus que le crime n'est pas prescrit pour Francis Heaulme et qu'il peut être mis en examen, dès demain. Vous allez avoir à juger un jeune homme de bientôt 32 ans, qui pourrait être votre fils, votre frère, votre mari, en vous rappelant la forte parole de La Bruyère : "Un innocent condamné est l'affaire de tous les honnêtes gens." Votre décision sera définitive à l'issue du troisième procès de Patrick Dils, car il n'y aura pas de quatrième procès. Sachant que, dans ce dossier, il y a bien trois familles victimes, les Beining, les Beikrich, mais aussi les Dils, dont le fils a été enterré vivant à 16 ans et qui a vécu 16 ans d'enfer pendant lesquels il a survécu envers et contre tout, avec 16 Noëls et 16 anniversaires en prison. Vous rendrez à Patrick Dils en l'acquittant son innocence, son honneur, sa liberté, et son sourire. En vous souvenant que, si selon Bentham, le célèbre philosophe, "une erreur de justice est un sujet de deuils, l'erreur judiciaire est un véritable malheur public". Lors de l'audience solennelle de rentrée de la cour d'appel d'Orléans, Monsieur l'avocat général Gonod d'Artemare indiquait déjà dans son discours aux accents prophétiques : "Le philosophe, le moraliste, le magistrat, l'honnête homme à quelque condition sociale qu'il appartienne, ne sauraient éprouver de plus douloureux sentiments que ceux inspirés par le malheur d'une accusation, injuste, venant arracher un citoyen à sa famille, lui infligeant une tache à jamais déshonorante et imméritée." Ainsi, la reconnaissance par la justice de ses erreurs est une source d'anoblissement, même si elle est parfois et souvent difficile, comme ce fut le cas notamment dans l'affaire Dreyfus. Le célèbre avocat, maître René Floriot, dans son livre l'erreur judiciaire écrivait : "L'homme le plus honnête, le plus respecté, peut être victime de la justice. Vous êtes bon père, bon époux, bon citoyen et marchez la tête haute. Vous pensez que vous n'aurez jamais aucun compte à rendre aux magistrats de votre pays. Quelle fatalité pourrait vous faire passer pour un criminel ? Cette fatalité existe, elle porte un nom : l'erreur judiciaire. Vous vous croyez protégé par votre réputation, votre réussite professionnelle, vos relations et vous demeurez persuadé que l'erreur judiciaire ne frappe que les humbles, les êtres frustes, les malchanceux de la mauvaise étoile. Rien n'est plus faux, elle frappe les puissants et les humbles. Quel meilleur exemple que celui du capitaine Dreyfus. Cet officier admirablement noté, jouissant de la confiance de ses chefs, menait une vie exemplaire entre sa femme et ses deux enfants. Nanti d'une importante fortune, sorti dans les premiers de l'École polytechnique et de l'École de guerre, le capitaine n'avait jamais pensé qu'il pourrait un jour comparaître devant une juridiction répressive. Son innocence n'est plus discutée par personne. Il fut cependant condamné au bagne et déshonoré. La chronique judiciaire est remplie de noms d'hommes d'affaires, de médecins, d'ingénieurs, de professeurs, qui furent, eux aussi, victimes d'épouvantables erreurs judiciaires. Ne soyez pas surpris, c'est une entreprise malaisée que de rendre la justice. Nombre d'éléments extérieurs peuvent abuser les jurés et le juge le plus attentif et le plus scrupuleux. Un renseignement inexact, un document apocryphe, un témoignage mensonger, une expertise aux conclusions erronées peuvent concourir à la condamnation d'un innocent." Oui, Patrick Dils est coupable d'avoir, avant de s'être définitivement rétracté, avoué un crime qu'il n'avait pas commis, qu'il n'avait pas pu commettre, à la police, au juge d'instruction, à un collège d'experts, mais il n'avait que 16 ans ! Oui, Patrick Dils est coupable de s'être prêté de manière absurde et obéissante à la reconstitution macabre, le 7 mai 1987 imposée par le juge d'instruction. Oui, Patrick Dils est coupable de ne pas avoir hurlé son innocence après s'être rétracté auprès de son avocat, de sa famille, du juge d'instruction, de la cour d'assises de la Moselle et de celle de la Marne. Oui, Patrick Dils est coupable d'avoir fait beaucoup de mal aux familles Beining, Beikrich et à sa propre famille par son attitude déroutante souvent incompréhensible. Mais, il n'est pas d'une nature protestataire, ce n'est pas un suicidaire, ni un gréviste de la faim. Alors, je vous le dis, oui, j'ai été choqué par le contenu des plaidoiries des avocats des parties civiles, véritable réquisitoire implacable à l'égard de Dils et plaidoirie pour l'innocence de Francis Heaulme. Alors qu'ils ne devraient que chercher la vérité, visiblement seul Dils les intéresse et non pas Heaulme. J'ai été choqué par la fin du réquisitoire implacable de Monsieur l'avocat général Costes, qui a crucifié Dils en lui déniant à tout jamais le statut de victime, s'il venait à être acquitté et en lui demandant d'avoir la pudeur de se taire à ce sujet. Vous n'aviez pas moralement le droit Monsieur l'avocat général d'apprécier les souffrances de Dils et de sa famille. Seul Dieu, si l'on est croyant, a ce pouvoir suprême. Il n'y a pas de bonnes et de mauvaises victimes, des victimes respectables et d'autres méprisables, car la souffrance est la même pour toutes les victimes. Selon la forte parole d'Antoine de Saint-Exupéry dans *Terre des*

Hommes : "Je n'aime pas que l'on abîme les hommes."
Or, la justice a abîmé Patrick Dils profondément et durablement. Non, Patrick Dils n'est pas coupable d'avoir
massacré à Montigny-lès-Metz, le dimanche 28 septembre 1986, Cyril Beining et Alexandre Beikrich. Vous
l'acquitterez donc et ferez ainsi œuvre de justice, vous
mettrez fin définitivement à son calvaire qui dure depuis
16 ans.

« *Beati qui non viderunt et fermiter crediderunt
innocentem !* » Heureux ceux qui n'ont pas vu et qui
pourtant ont cru à l'innocence. »

VERDICT :

Le 24 avril 2002, la cour d'assises des mineurs du
Rhône a acquitté Patrick Dils.

Le procès Pereira

Crime passionnel ou erreur judiciaire ? José Pereira, le rugbyman, suspecté d'avoir tué l'amant de sa compagne, Norbert Rech, d'une vingtaine de coups de couteau, a déjà été jugé deux fois. À Toulouse, les jurés l'ont innocenté. À Montauban, ils l'ont condamné à 18 ans de réclusion criminelle. Du fond de sa prison, il espère maintenant un troisième procès. Son histoire est digne d'un thriller.

Le 5 septembre 2000, lorsqu'ils interpellent Pereira, les policiers sont très vite convaincus d'avoir mis la main sur l'auteur du meurtre de Norbert Rech. Ils ont un mobile : la jalousie. Une arme : le couteau qu'ils retrouvent au domicile du rugbyman. Et un coupable idéal : Pereira était sur les lieux du crime quelques minutes après le meurtre. Bientôt, à l'issue de la garde à vue, ils auront aussi des aveux. Que demander de plus ? La défense a beau réclamer des expertises supplémentaires, le juge expédie son instruction et renvoie José Pereira devant les assises. Mais, pendant le procès, ses avocats, Jean-Luc Forget et Laurent de Caunes, exploitent habilement les failles de l'enquête. Ainsi, les mégots qui ont été retrouvés sur les lieux du crime n'ont jamais été analysés. Pourquoi n'a-t-on pas recherché de trace ADN ? Curieuse aussi ou pour le moins discutable, la

manière dont ont été relatés, sur procès-verbal, les
« aveux » de José Pereira : « Je suis l'auteur des faits »,
lit-on sur le P-V, sans plus de précision. À l'audience,
l'accusé raconte que, traumatisé par son arrestation et
épuisé par les interrogatoires, il a fini par lâcher : « Si
vous voulez que ce soit moi, alors marquez que c'est
moi ! » Étrange encore, l'absence de toute marque de
lutte sur le présumé assassin. Comment imaginer que
Norbert Rech, un solide gaillard, n'ait pas essayé de se
défendre ? Or, il n'y a pas la moindre goutte de sang sur
José Pereira, censé avoir porté plus de vingt coups de
couteau. Et les médecins, qui l'ont examiné, n'ont remarqué ni bleu, ni marque, ni même la moindre griffure sur
son corps. Dans sa plaidoirie, Laurent de Caunes exhorte
donc les jurés à ne pas s'en tenir aux premiers « aveux ».
Cet avocat toulousain chevronné s'est illustré dans de
grands dossiers : la Josacine empoisonnée, l'affaire Alègre, l'affaire Viguier, l'affaire Borel (du nom du magistrat français assassiné à Djibouti en 1995). Il a aussi, et
c'est sans doute sa plus belle victoire, obtenu l'acquittement de Jacomet qui était pourtant accusé de trois
homicides, deux meurtres et un assassinat, au sabre, à
la hache et au fusil de chasse. Pour défendre José Pereira,
Laurent de Caunes plaide le doute. Ce doute qui doit
interdire aux jurés de condamner.

PLAIDOIRIE PRONONCÉE PAR LAURENT DE CAUNES,
AVOCAT DE JOSÉ PEREIRA, LE 4 NOVEMBRE 2005
DEVANT LA COUR D'ASSISES DE LA HAUTE-GARONNE.

« Monsieur le président, Mesdames et Messieurs de
la cour et du jury,
Vous avez entendu, il y a quelques instants, l'avocat
de la partie civile nous annoncer que José Pereira allait

quitter le monde des hommes libres pour s'engouffrer dans le terrible souterrain carcéral. C'est comme s'il était écrit au fronton de votre cour d'assises : "Vous qui entrez ici, oubliez toute espérance." Mais, si Dante, avec son *Enfer*, a montré le destin de l'homme, qui est de mourir, un autre génie, Shakespeare, avec son *Hamlet*, nous a montré la nature de l'homme, qui est d'être libre. "Doute de tout", dit Hamlet à Ophélie, "Doute de la lumière, doute du soleil et du jour, doute des Cieux et de la Terre…".

Voulez-vous être des pourvoyeurs de l'enfer ou des porteurs de liberté ? Cet éternel rappel au doute de l'homme qui pense doit aussi guider l'homme qui agit. Et l'homme qui juge est un homme qui pense et qui agit. Le doute n'est pas une chose passive. C'est une activité. Il faut qu'on s'en occupe. C'est la certitude qui est paresseuse. Le doute est insomniaque et fiévreux. Et ce doute qui doit guider l'honnête homme, l'homme qui pense, l'homme qui agit, l'homme qui juge finit par en avoir peur.

Frustré dans son envie de vérité, il peut être gagné par l'envie de condamner ; et c'est la pire des choses. Si on ne sait pas, il ne faut pas en faire le reproche à l'accusé, mais à l'enquête. Vous n'êtes pas là pour sauver l'enquête, pour aider les enquêteurs, pour les remplacer, pour combler leurs vides. Mais, précisément, la justice a horreur du vide. Elle ne supporte pas les questions sans réponse, et les crimes sans condamnation ; elle ne le supporte pas jusqu'à la névrose, jusqu'à en perdre son contrôle et sa raison. Ce qui se déroule à l'audience, ce que l'on appelle les débats, c'est une tentative d'assemblage de pièces qui doivent avoir été préparées et polies de façon à être jointives. Si elles ne sont pas jointives, c'est que la construction qu'on vous demande de réaliser n'est pas parfaite. Or la vérité doit être parfaite. Elle doit être construite sans défaut. Le système de l'intime conviction n'est pas fait pour masquer les défauts, pour les oublier. Ce n'est pas un ciment ou un plâtre qui masque les fissures du raisonnement. Ce n'est pas une impression générale suivant laquelle l'édifice peut tenir. Ce n'est pas un moyen de se dispenser d'éprouver les matériaux et de calculer leur ajustement. L'arbitre de l'intime conviction, c'est votre conscience. Avoir l'intime conviction, c'est être sûr de la vertu de chaque preuve, de la force probante de chaque élément de l'accusation et de sa cohérence avec tous les autres éléments de cette accusation. S'il y a une chose qu'on ne sait pas, on ne peut pas être sûr de l'ensemble. Si une pièce manque à la construction, celle-ci ne tiendra pas à l'épreuve de la conscience. On vous a lu, au début de l'audience, un acte d'accusation long, complexe et confus. Mais vous, vous allez devoir rendre, vous, une décision monosyllabique : ce sera oui ou non ! C'est commode – mais c'est dangereux.

La vérité qui sortira de votre verdict, quel qu'il soit, devra résulter d'un raisonnement, d'analyses, de la mise en cohérence des faits et de la psychologie, bref d'une motivation. Si vous n'êtes pas sûrs de pouvoir motiver, sans la moindre discordance, un verdict de culpabilité – vous devez en tirer la conséquence que dicte la conscience, car il faudra bien qu'il y ait une motivation inscrite dans vos esprits et même dans vos cœurs. Pas de motivation écrite dans votre verdict ne signifie pas que vous allez rendre une décision muette, qui ne doive pas résulter d'un dialogue avec vous-même. Ici, dans l'arène de l'audience, personne n'est objectif. L'accusation est dans cette arène, comme nous. Il n'y a pas d'autre neutralité que la vôtre. La partie civile et l'accusation vous ont exhortés à la condamnation pour ce motif simple : José Pereira a avoué, et tout le reste est littérature. La liste est longue, pourtant, des aveux faits en garde à vue par des innocents.

Joël Pierrot, qui avait avoué un vol à main armée, condamné en première instance à Bar-le-Duc, après avoir maintenu ses aveux à l'audience, puis en appel à Nancy, et qui fut plus tard innocenté parce que les véritables auteurs avaient été identifiés et arrêtés.

Jacques Hoffmann, qui avait avoué aux enquêteurs et au juge d'instruction le meurtre de sa femme, et qui a été sauvé par des analyses d'ADN désignant un autre homme, auteur d'un crime similaire dans la même commune.

Pascal Labarre, qui avait avoué en garde à vue le meurtre de sa maîtresse, condamné à 20 ans en première instance, et acquitté en appel à Bordeaux.

Daniel Legrand, qui, en plus de ce qu'on lui reprochait à tort, dans l'affaire d'Outreau, s'était accusé du viol et du meurtre d'une petite fille belge, parce qu'il avait "pété un plomb", et qu'il n'avait pas imaginé un seul instant qu'on le croirait.

Marc Machin, qui avait avoué en décembre 2001 le meurtre du Pont de Neuilly, dont s'accusera plus tard un SDF.

Patrice Pade, accusé du viol et du meurtre de Caroline Dickinson à Pleine-Fougères, mis hors de cause après des tests génétiques, et qui était passé par deux fois aux aveux devant les gendarmes.

Et combien d'autres ? Et jusqu'à quand cette liste devra-t-elle être tenue ? "L'aveu des accusés est un principe juridique moyenâgeux", a lancé Boukharine, qui avait avoué tout ce qu'on lui demandait au procureur Vichinsky. Voyez, même au temps des procès de Moscou, on le savait ! L'aveu de Pereira, comme tant d'autres, était le fait d'un homme affaibli, placé en position de coupable, inquiet pour la femme qu'il aime, abattu, déprimé, sans résistance, sans visibilité, et se raccrochant à la certitude naïve que tout le disculperait, que tout démontrerait son innocence. Et cet aveu, vous le savez, ceux qui l'ont recueilli n'y croyaient pas eux-mêmes. Les gendarmes ont tenté une reconstitution, et Pereira qui avait avoué avec ses mots n'a pas pu expliquer avec ses gestes. Il n'a eu à offrir qu'un simulacre, sans conviction, comme un automate déréglé, si bien que les enquêteurs ont eux-mêmes dressé la liste de ce qui éloignait ces aveux de toute réalité possible. Il ne faut pas se laisser impressionner par les fausses certitudes, les certitudes de circonstance, les certitudes de fonction, les certitudes de commodité, les certitudes de complaisance. Si on a enquêté, si on a recherché des confirmations matérielles à ce qu'on croyait, c'est que ce qu'on croyait n'était pas ce qu'on prouvait. N'ayant rien trouvé, on essaye, par une alchimie dangereuse, de transformer l'opinion en preuve. Et ce qui inspire cette démarche, ce n'est pas le besoin de vérité, mais le désir de montrer qu'on a accompli sa tâche : il y a eu un crime, moi, gendarme, je trouve un suspect, moi, juge, je l'incarcère, moi, avocat général, je le poursuis, moi, juré, je le condamne. Ainsi tout est pour le mieux dans le meilleur des mondes judiciaires. Mais on a oublié la vérité, ou, au mieux, on l'a fait passer au second plan. On a oublié qu'on était à son service, et que c'est elle, ce but qu'il faut satisfaire ; nous, nous n'en sommes que les éventuels moyens. Or s'il y a une terrible erreur à ne pas commettre, c'est bien de confondre le but et les moyens. Nous ne sommes pas là pour accomplir nos destins personnels, mais pour permettre à votre cour d'accomplir le sien. Le destin d'une cour d'assises, c'est de reconnaître la vérité quand elle est là, mais aussi de reconnaître son absence quand elle n'y est pas. Admettez qu'elle n'y est pas, refusez la mystique de l'aveu, ayez le courage du doute, donnez sa chance à ce qui est possible, et vous acquitterez José Pereira. »

VERDICT :

Le 4 novembre 2005, la cour d'assises de la Haute-Garonne a acquitté José Pereira. Le ministère public a fait appel de cet acquittement. José Pereira a donc été jugé une seconde fois et cette fois-ci condamné par la cour d'assises du Tarn-et-Garonne à 18 ans de réclusion criminelle.

QUAND LES MOTS SONT DES ARMES

Le procès d'Edmond Jouhaud

C'est une page singulière de l'histoire de France qui a été jugée à Paris devant le Haut Tribunal militaire en avril 1962. Certes, le « putsch des généraux d'Alger » avait été rapidement jugulé, la sédition militaire ne dura que cinq jours. Il n'empêche, les quatre généraux, (Challe, Salan, Zeller et Jouhaud) ont bien perpétué un « vrai » coup d'État. Au moment où il comparaît devant ses juges, Edmond Jouhaud, qui est poursuivi pour « crime contre la sûreté de l'État », risque donc la peine de mort.

Un an plus tôt, le vendredi 21 avril 1961, le général Jouhaud avait pris le contrôle d'Alger. Ce haut militaire, pied-noir d'origine, incarne cette frange d'Européens d'Algérie qui refuse l'indépendance. Depuis bientôt sept ans, l'armée française se bat pied à pied dans le maquis contre le FLN et il faudrait, alors que la victoire semble être au bout du fusil, déposer les armes, fuir, tout abandonner ? Pour Jouhaud, comme pour d'autres, l'idée est tout simplement inacceptable. De Gaulle les a trahis ! Dans la soirée du 21 avril, un commando de parachutistes s'empare donc des points stratégiques d'Alger : aéroport, Hôtel de ville, siège du Gouvernement général. À Paris, le préfet de police, Maurice Papon et le directeur de la Sûreté nationale montent une cellule de crise…

dans un salon de la Comédie-Française. De Gaulle assiste alors à une représentation de *Britannicus*. Il sera prévenu à l'entracte. Le lendemain, samedi 22 avril à 7 heures du matin, la population d'Alger apprend par un message lu à la radio que « l'armée a pris le contrôle de l'Algérie et du Sahara ». En métropole, les partis de gauche, les syndicats, la Ligue des droits de l'homme appellent les Français à descendre dans la rue pour manifester contre ce coup de force. Le dimanche soir, le président de la République apparaît à la télévision à 20 heures, vêtu de son ancien uniforme de général, tel la statue du commandeur. Les mots que Charles de Gaulle prononce ce soir-là resteront gravés dans les mémoires. Il stigmatise « les coupables de l'usurpation et le pouvoir insurrectionnel qui s'est établi en Algérie par un *pronunciamiento* militaire » et il ridiculise les putschistes, en qualifiant les quatre généraux rebelles de « quarteron de généraux en retraite ». La formule, géniale, suffira à elle seule à décrédibiliser la sédition. Le chef de l'État, qui se saisit des pleins pouvoirs, appelle fermement les appelés à désobéir aux ordres des officiers rebelles. « Cinq cent mille gaillards munis de transistors », comme il le dira plus tard, ont entendu son appel et refusent effectivement d'appliquer les consignes de leurs supérieurs. En Algérie, dans les jours qui suivent, les troupes qui avaient suivi les généraux se rendent progressivement. C'est la débandade. Dès le 26 avril, le putsch a échoué. Challe et Zeller se constituent prisonniers. Salan et Jouhaud, eux, s'enfuient. Edmond Jouhaud est finalement arrêté à Oran avant d'être rapatrié à Paris où l'attend le Haut Tribunal militaire. Il est défendu par Me Perrussel et Jacques Charpentier. Ce dernier, bâtonnier pendant l'Occupation (1938-1943), a donné son nom à une salle du conseil de l'Ordre des avocats au Palais de justice de Paris. Cette reconnaissance posthume fait aujourd'hui l'objet d'une vive polémique. Certains avocats parisiens ne manquent pas de souligner que le bâtonnier Charpentier – même s'il entra en clandestinité et rejoignit la Résistance durant la Seconde Guerre – se distingua dans les années 1930 par des écrits aux relents xénophobes et antisémites. Au cours de sa plaidoirie pour Jouhaud, il tient d'ailleurs des propos fort déplacés au sujet de la nomination de Georges Pompidou comme Premier ministre saluant « l'avènement de la Banque Rothschild au gouvernement de la République » (Georges Pompidou a occupé pendant longtemps des fonctions de direction dans cet établissement bancaire). Jacques Charpentier plaide bien sûr pour Jouhaud et pour l'honneur d'un général mais il dit aussi la colère de ces Français qui, à cette époque, sont ulcérés par la disparition de « leur » empire colonial. Pour ce qu'elle exprime, cette plaidoirie s'inscrit donc elle aussi dans l'histoire.

PLAIDOIRIE PRONONCÉE PAR LE BÂTONNIER
JACQUES CHARPENTIER, LE 13 AVRIL 1962
DEVANT LE HAUT TRIBUNAL MILITAIRE.

« Messieurs, il est tard ; tout vous a été dit, et je voudrais ne pas vous fatiguer. Je ne vous parlerai pas de Jouhaud ; vous le connaissez. Je ne vous parlerai pas beaucoup de l'Algérie française. Vous avez entendu tout à l'heure une voix plus éloquente et plus qualifiée que la mienne pour exprimer ses douleurs, son désespoir et ses rancœurs ; mais je voudrais vous parler d'une troisième personne dont il n'a pas encore été question dans ce débat et qui, cependant, place au-dessus de cette audience, qui est la plus intéressée, celle qui serait vraiment poignardée par la sentence qu'on vous demande : je veux vous parler de la France.

Ce n'est pas, Messieurs, la première fois qu'au cours de son histoire, la France a été amenée à sacrifier des provinces françaises. Il y aura l'année prochaine deux cents ans que la monarchie abandonna 60 000 Français sur les rives du Saint-Laurent ; c'étaient de pauvres gens ; c'étaient de petits agriculteurs, des pêcheurs, des trappeurs, de petits artisans ; c'était le Bab-el-Oued de l'époque, car les deux cents familles, s'il y en avait, étaient depuis longtemps parties sur les frégates du roi de France.

La France les abandonna et, pendant un siècle et demi, elle les oublia. Ils furent durement persécutés ; on leur interdisait de parler français ; l'usage, l'enseignement de la langue française étaient interdits sous les peines les plus sévères ; et puis, au bout de cent cinquante ans, les 60 000 étant devenus trois millions, la France s'est rappelé leur existence, et elle est allée leur rendre visite. Comme ils étaient restés français de cœur et d'esprit, parce que, quand on a été français, il est difficile de ne plus l'être, ils ne nous en voulurent pas ; ils revinrent même défendre leur patrie ingrate le jour où elle fut envahie ; mais, tout de même, ils ne l'ont pas oubliée, et quand on est reçu dans les petites villes de la province de Québec, on entend encore parler – et je vous assure que ce n'est pas agréable, des "arpents de neige" de Voltaire.

En 1871, la France a abandonné deux provinces, deux départements ; elle était lasse ; elle ne voulait plus la guerre, et l'abandon de ces provinces fut voté, sauf le petit groupe des protestataires, à une majorité aussi forte que celle du référendum de dimanche dernier.

Seulement, la France eut bientôt des remords et, aux générations suivantes, on apprit que leur mission en ce monde était de reconquérir les provinces perdues ; et nous l'avons fait.

En 1962, la France vient d'abandonner son deuxième empire colonial, ou du moins ce qui en restait ; mais ce qui différencie cette opération chirurgicale des précédentes, c'est qu'elle semble ne causer à la métropole aucun remords ; la France avait perdu la guerre de Sept Ans au moment de l'abandon du Canada, au moins dans les territoires d'Outre-Mer ; en 1871, elle avait été envahie par l'ennemi ; la capitale était prise ; on ne pouvait plus faire autrement. En Algérie, où donc était la défaite ? Les communiqués du gouvernement n'ont jamais cessé de le dire, que l'armée était maîtresse de la situation, et c'était vrai, parce que, depuis le quadrillage du général Challe, le FLN n'en pouvait plus ; il était à bout de souffle. Oh, il avait encore de l'argent ; cela, il en avait beaucoup dans les banques suisses parce qu'il en venait de certaines parties du monde, et nous savons pourquoi l'argent venait de certaines parties du monde, mais les hommes ne voulaient plus rien savoir ; les willayas étaient exsangues ; la guerre était gagnée ; c'est le moment qu'on a choisi pour capituler.

Ce ne serait rien, ce ne serait rien si on avait compris la situation de ceux que l'on abandonnait ; à ceux que l'on avait trahis en 1763 et en 1871, on avait pu dire, nous sommes vaincus ; à ceux-là, qu'est-ce que l'on dit ? Tout ce que l'on a trouvé à leur dire, c'est que c'est le sens de l'histoire. Et, comme le sens de l'histoire est une expression un peu éculée, on l'a un peu trop vue dans la propagande communiste, le chef de l'État qui dispose d'un choix de ces métaphores somptueuses par lesquelles on habille de pourpre et d'or les réalités les plus humiliantes, le chef de l'État a remplacé le sens de l'histoire par "le grand vent de l'histoire". Il faut avouer que c'est un peu mieux. Seulement, c'est le danger des métaphores : le vent est un élément instable ; le vent fait tourner les girouettes. On prétend qu'il y en a jusque dans le sein du gouvernement. Oui, le grand vent de l'histoire soufflait en effet de l'ouest au XVIIIᵉ siècle, lorsqu'il ramena vers la France les frégates qui revenaient du Canada ; oui, mais ensuite, et pendant tout le XIXᵉ siècle, le grand vent de l'histoire a tourné en sens contraire ; il venait de la France ; il allait dans toutes les parties du monde ; il allait porter le nom français, les principes de la Révolution française, et nos deux principaux auxiliaires, le médecin et le juge, dans toutes les parties du monde et, dans ce temps-là, nous en étions fiers. Oui, que voulez-vous, c'était ce que l'on nous apprenait dans les lycées, et nous nous réjouissions chaque fois que sur nos atlas on voyait s'élargir les taches rouges qui signifiaient la domination française.

Le grand vent de l'histoire, mais il a encore soufflé longtemps dans le même sens ; il soufflait dans le même sens en 1939, lorsque M. Daladier faisait sonner un peu trop haut, peut-être, le mot "d'Empire français" ! Lorsque mon vieil ami Paul Reynaud accomplissait dans les colonies françaises une tournée triomphale et qu'il ouvrait aux portes de Vincennes le musée des Colonies.

Et il soufflait encore pendant toute la guerre lorsque le général de Gaulle, en termes que personne n'oubliera jamais, appelait l'Empire français tout entier au secours de la métropole.

Seulement, aujourd'hui… ! Aujourd'hui, le grand vent de l'histoire a tourné en sens contraire, et il n'apporte plus à ceux dont la communauté française se sépare, à ceux qu'elle trahit – il faut bien dire le mot, – il n'apporte plus que des insultes.

Oui, ce sont des "pieds-noirs". Ils ont relevé l'insulte comme autrefois les gueux ; ils en ont fait un signe de ralliement. Mais il y a d'autres insultes plus graves. Ce sont des "agités" ; ce sont des "Méditerranéens" ; ce sont des "Européens d'outre-mer". Ils ne sont pas de chez nous, n'est-ce pas, ces gens qui s'appellent Lopez, Pérez, Hernandez, Herrera ? Je croyais, moi, qu'on pouvait être français tout en portant ces noms-là. Je le crois encore. La semaine dernière, le général Jouhaud a comparu devant un honorable magistrat instructeur qui porte le nom de Pérez. Il m'a paru appartenir à la nation française.

Et puis, il me semble que nos Européens d'Afrique du Nord ont donné à la France assez de gages pour que l'on puisse croire qu'ils se sont fondus dans la nation française. On faisait allusion, tout à l'heure, aux cimetières où se sont accumulées leurs tombes. On n'avait pas le droit de l'oublier.

Ces gens de l'Algérie, que je persiste à appeler mes compatriotes, ils ne comprennent pas. Ils ne comprennent pas que la France, ayant été victorieuse, les sacrifie : ils ne comprennent pas qu'après avoir contribué – car, enfin, l'insurrection est partie de leur sol – à ramener le général de Gaulle au pouvoir en 1958, ils ne comprennent pas que ce soit ce même gouvernement qui les expulse, qui les trahisse. Ils ne comprennent pas que le FLN, qui, hier encore, était leur ennemi, contre lequel on envoyait les troupes françaises, contre lequel les petits soldats de la métropole se faisaient tuer, soit aujourd'hui devenu leur maître ; ils ne comprennent pas que le chef du nouvel État fût hier encore à la Santé.

Je ne suis pas sûr que, ne comprenant pas, ils manquent d'intelligence ; car, enfin, dès maintenant, et rien que par les textes que l'on nous mesure au compte-gouttes, nous connaissons le sort qui les attend.

D'abord, ils ne s'appellent plus des Français. Lisez la déclaration du 19 mars 1962 relative à l'Algérie. Il y a, d'une part, les Algériens musulmans et d'autre part des dispositions concernant les citoyens français de statut civil de droit commun. Il paraît que ce sont des Français. Nous, nous n'avions pas besoin d'une dénomination aussi compliquée ; eux, ils porteront maintenant ce nom... pas pour longtemps car on ne le leur laisse que pour trois années, et pendant ces trois années. Mais, dès maintenant, on annonce qu'ils seront privés de leurs droits civiques en France. Ils sont condamnés à la mort civile.

Ils ont peut-être quelque raison de n'être point satisfaits.

Le général Jouhaud, Messieurs, est un pied-noir. Il partage les sentiments d'amertume et d'indignation qu'on vous a exprimés tout à l'heure. Lorsqu'on a parlé à ces Algériens, on s'aperçoit, voyez-vous, que ce qu'il y a de plus cruel pour eux ce sont moins ces abominables brimades, ces cruautés auxquelles participe maintenant l'ordre français, que le sentiment affreux dans lequel ils se trouvent qu'ils sont abandonnés par la patrie française. J'ai reçu à cet égard des confidences bouleversantes.

Quand on est venu se mettre sous la protection de la France, comme la plupart de ces gens-là qui sont venus d'ailleurs, comme ceux qui sont venus après les révolutions de 1830, après les révolutions de 1848, après la Commune, comme ceux qui ont été expulsés d'Alsace-Lorraine, qui sont venus planter leur tente, cultiver des propriétés, qui ont assis leur fortune, installé leur famille là-bas, tout cela parce qu'ils étaient sous la protection de la France, la France de la Révolution, la France de la liberté et de l'égalité, alors, lorsque ces gens s'aperçoivent que la protection sur laquelle ils avaient compté n'existe plus, qu'ils sont des proscrits, qu'on les renie, qu'on les insulte, ces gens-là, ils ne peuvent plus le supporter. Le général Jouhaud est de ceux-là, et cela suffirait à expliquer qu'ils se soient alliés à l'insurrection.

Mais il est aussi autre chose. C'est un général. Il est parvenu à l'un des plus hauts grades de l'armée française ; il y est parvenu, non pas en écrivant, non pas dans son cabinet, mais dans les combats et dans sa carrière militaire, il a conçu comme beaucoup de ses pareils, l'orgueil de la France. Il s'est figuré, surtout après nos deux dernières guerres, que la France était imbattable ; qu'elle survivrait à toutes ses humiliations, à toutes ses défaites, et il ne peut pas supporter les capitulations successives auxquelles elle se résigne depuis quelques années. Là aussi son sang se révolte ; il ne peut pas, il le pouvait tellement moins qu'il avait démissionné de l'armée.

Alors, Messieurs, il a rejoint l'insurrection du général Challe et du général Zeller.

Messieurs, nous sommes à la fin de ces débats ; il est trop tard et vous savez tout ; je n'ai plus rien à vous dire ; vous allez tout à l'heure prendre une décision qui est attendue avec angoisse dans certaines parties du monde. En ce moment, dans toute l'Afrique de Nord, tous les postes d'écoute vous attendent, et en France aussi il y en a pas mal, et même à l'étranger, par curiosité, peut-être, ou par intérêt. Vous allez donc prendre une décision très grave ; vous êtes tous des hommes considérables ; des hommes qui ont atteint l'échelon le plus élevé de leur profession, sauf pour les plus jeunes d'entre vous ; vous n'avez plus rien à attendre ; vous êtes affranchis des désirs ; affranchis de la peur ; vous êtes arrivés à ce moment de la vie où l'homme est seul en face de sa conscience, et c'est pour cela que j'ai confiance et que je vous confie le sort de Jouhaud, du général Edmond Jouhaud ; pour cela que je suis sûr que vous ne commettrez pas la faute irréparable que l'histoire ne vous pardonnerait jamais pas plus qu'elle n'a pas pardonné à Napoléon l'exécution du duc d'Enghien,

231

pas plus que la Restauration ne s'est relevée de l'assassinat du maréchal Ney.

Je vous le demande pour lui, mais je vous le demande surtout pour notre pays ; je vous demande pour la France pour laquelle vous pouvez jeter le premier jalon qui conduira sur la route de l'amnistie qui, en tout cas, nous ramènera la France que nous connaissons, celle qui avait fait l'admiration du monde ; la France de la vérité, de la liberté et de la justice. »

VERDICT :

Le 13 avril 1962, Le Haut Tribunal militaire condamne Edmond Jouhaud à la peine de mort. Le tribunal n'a pas retenu de circonstances atténuantes. Après sept mois passés dans une cellule de condamné à mort, il échappe de très peu à l'exécution ; le général de Gaulle accepte finalement de le gracier le 28 novembre 1962. Il bénéficie d'une amnistie en juillet 1968.

Le procès d'un réseau islamiste

Fin des années 1990. Les attentats du 11 septembre n'ont pas encore eu lieu. Et les « islamistes radicaux » ne font pas encore la une des journaux. En ce mois de décembre 1996, le tribunal correctionnel de Paris découvre donc un phénomène nouveau : dans les banlieues françaises, des filières très organisées recrutent de jeunes Beurs pour grossir les rangs des groupuscules terroristes. En l'occurrence, les magistrats vont avoir à juger les membres d'un réseau qui, depuis la France, a préparé des attentats commis au Maroc.

Deux ans plus tôt, en août 1994, un hôtel de Marrakech, haut lieu touristique, a été pris pour cible par un commando armé. Trois hommes sont entrés dans le hall de l'établissement et ont tiré à l'aveuglette. Deux touristes espagnols sont tués et un troisième est grièvement blessé. Le même jour, trois autres attentats étaient programmés à Fès, Casablanca et Tanger. Heureusement, ils n'ont pas pu être menés à leur terme. Mais le Maroc est en état de choc. Dès le lendemain, la police arrête plusieurs suspects et découvre, stupéfaite, qu'il s'agit de jeunes Français d'origine marocaine ou algérienne. Ces terroristes arrivent tout droit de La Courneuve et de Seine-Saint-Denis, du quartier parisien de la Goutte d'Or ou de la cité de l'Argonne à Orléans. Lors de leur

233

procès, qui se tient au Maroc, ces jeunes, qui ne connaissent pas un mot d'arabe, ont besoin d'un interprète. Ils semblent dépassés par ce qui leur arrive. Le verdict qui tombe pèse cependant très lourd. Trois accusés sont condamnés à mort. Dans le même temps, en France, une instruction est ouverte. Les enquêteurs s'interrogent : comment ces jeunes ont-ils été recrutés ? Et par qui ? Les services de renseignements ont identifié deux chefs, dont ils ne connaissent que les noms d'emprunt, "Rachid" et "Saïd". Ce sont ces deux hommes d'âge mûr, très pieux et dotés d'un fort charisme qui ont approché les apprentis terroristes, les ont formés lors de stage d'entraînement dans des forêts du sud de la France ou près d'Orléans. Ils ont expédié les plus « prometteurs » au Pakistan ou en Afghanistan pour qu'ils se perfectionnent au combat. Ils ont aussi installé une base logistique en France : fabrication de faux papiers, transports d'armes, etc. Les enquêteurs ont fini par démanteler le réseau, en remontant jusqu'à leurs chefs. Et les juges d'instruction ont ratissé large : ils ont renvoyé trente-quatre prévenus devant le tribunal. Dans le box des prévenus, les « petites mains » côtoient les leaders, en particulier Abdelilah Ziyad alias "Rachid". Cet islamiste marocain avait fui son pays en 1985, après une condamnation à perpétuité par contumace pour avoir participé à un "complot" contre le roi Hassan. C'est Me Vincent Courcelle-Labrousse qui le défend. Ce jeune avocat, grand connaisseur du Maroc, est un spécialiste de droit international : il est intervenu devant le tribunal international pour le Rwanda ou la Cour pénale internationale de La Haye. Il est également devenu le conseil du frère du préfet Érignac, assassiné en Corse. Dans sa plaidoirie pour Abdelilah Ziyad, il renvoie la justice française face à ses contradictions en matière de lutte contre le terrorisme.

« Je sais que, dans cette affaire, il y a eu des gens qui sont morts dans un hôtel et d'autres qui sont condamnés à mort ou qui purgent une perpétuité marocaine après un procès marocain. Certains pensent que la place de Ziyad n'est pas dans ce box, mais plutôt en cellule à Kenitra au Maroc, voire exécuté.

Mais ce procès est plus compliqué que l'histoire d'un fou de Dieu qui fait sa prière dans le box, un fou de sang, un suborneur qui dévoie la religion. Je ne suis engagé ni de près, ni de loin dans le combat qui est le sien, que ce soit celui du vrai islam contre l'islam dévoyé, celui du peuple pauvre des faubourgs de Casa contre les riches des palais, celui du Sud contre le Nord, d'un Sud qui aurait aujourd'hui trouvé sa troisième voie dans un renouveau de l'islam.

Pourtant, sans approuver, on doit comprendre et vous devez juger.

Abdelilah Ziyad, lui, a courageusement assumé ses responsabilités devant vous. Il est rare de la part d'un islamiste d'accepter le dialogue. Il l'a fait. Il a reconnu ses actes et il a accepté de les expliquer. Mais, du côté de l'accusation, le ministère public pratique la confusion. Madame le procureur vous a dit hier : "Vous n'êtes pas saisis des faits du Maroc, ce que vous devez juger, c'est l'association de malfaiteurs en France." Le ministère public vous dit : "Ne parlons pas du Maroc." Et pourtant, il ne parle que de ça. Non seulement il en parle, mais il prend partie pour le Maroc. Lorsque Madame le procureur dit que Ziyad veut s'emparer du Maroc pour y semer la terreur comme en Algérie, elle prend parti pour le Maroc. Lorsqu'elle dit que le véritable islam est modéré – l'islam du Maroc – elle prend partie pour le Maroc. Vous n'êtes pas une juridiction culturelle ou théologique. Vous n'avez pas à trancher entre l'islam de M. Ziyad et celui du roi du Maroc. Entre le régime que souhaite Ziyad et celui d'Hassan II.

Le Maroc, c'est Hassan II, un roi, un régime féodal. Le Maroc, c'est lui. Le Maroc est à lui. Je suis sidéré d'entendre un magistrat de la 14e section du parquet vous dire : "Il paraît que Marrakech est une belle ville." Je suis désolé de le dire à Madame le procureur, mais c'est une monarchie des plus terribles. Ce n'est pas un de ces rois de monarchie parlementaire qui inaugure les chrysanthèmes. C'est un pays totalitaire. Et puis il y a le Maroc judiciaire tel que le décrivent dans leurs livres Gilles Perrault, Christine Serfaty ou Moumen Diouri. Il y a aussi, et ils sont moins littéraires, les rapports, année après année, d'Amnesty International, de l'Observatoire international des prisons. Et il y a enfin nos parlementaires, une partie d'entre eux en tout cas, qui refusent d'accueillir ce monarque absolu qui pratique la torture…

Quelques dates seulement sur cette question. 1965 : manifestations des lycéens. La police tire. Un millier de morts. 1977 : après la "marche verte", les "procès de Casablanca" contre ceux qui ont approuvé le droit à l'autodétermination des Sarahouis : des peines à perpétuité. 1981 : manifestations ouvrières à Casablanca. Un millier de morts tués par l'armée de l'air et les blindés. L'armée de terre enterre tout le monde au bulldozer dans une fosse commune. 1984 : manifestations dites "de la faim" contre l'augmentation des prix. De nouveau des morts, des fosses communes, des bulldozers. 1990 : grève générale ; 1990, c'est tout près de nous. C'est hier. On ne parvient pas à dénombrer les morts. Les familles n'osent pas les enterrer.

Quelques chiffres également. Ne vous inquiétez pas, ce ne sera pas long. Le Maroc, c'est un pays où 10 % des terres cultivables sont détenues par 0,1 % de la population, où 5 % des propriétaires détiennent 45 % des terres irrigables...

Et puis il y a le Maroc des narcotrafiquants. Et ce militant du Mouvement de la jeunesse islamiste marocaine (MJIM) mort un petit matin sur l'autoroute du Sud. Je n'invente rien sur ce pays. Si des prisonniers s'évadent, la famille entière est arrêtée. C'est cela le Maroc que vous cautionnez. C'est cela la Maroc que combat Ziyad. Il n'y a que la 14e section du parquet pour l'ignorer.

On a dit que le MJIM était une coquille vide, une invention d'Abdelilah Ziyad. Je ne sais pas qui vous renseigne, mais vous êtes bien mal renseignés à la 14e section. Le MJIM, créé en 1969, est un mouvement qui a bénéficié jusqu'en 1974 de la tolérance du pouvoir parce qu'il s'en servait contre les socialistes. Ça l'arrangeait que dans les universités il y ait des islamistes pour combattre les socialistes. Ce mouvement existe et il sera réprimé de façon très violente à partir de 1982. On vous a dit que M. Ziyad avait été condamné pour trafic d'armes en 1985. C'est faux. Et je voudrais resituer le contexte. En 1984, c'est le "procès des 71" arrêtés pour avoir posé des affiches antimonarchistes, des islamistes déjà. En 1985, c'est le "procès des 100", c'est le même : deux procès contre la jeunesse islamique au Maroc. On les juge pour "complot". Le "complot" s'appuie sur des aveux arrachés sous la torture après des mois de détention au secret. C'est cela le "trafic d'armes". C'est dans ce contexte-là, lors de ces procès-là, que M. Ziyad fuira le Maroc et sera condamné à perpétuité par contumace. Abdelilah Ziyad a adhéré au MJIM alors qu'il avait

18 ans. Il dit : "Notre activité était essentiellement religieuse. Nous souhaitions un régime fondé sur la chari'a. Pour ce faire, nous nous réunissions dans les mosquées et nous distribuions des tracts."

Puis, il y a l'épisode de la Libye. Pourquoi quitte-t-il la Libye ? Parce que la Libye est en train de se rapprocher du roi du Maroc. C'est l'époque des projets de Grand Maghreb. Pour se rapprocher du Maroc, la Libye propose de livrer quelques islamistes. Alors Abdelilah Ziyad part pour l'Algérie. Et là, le passeport algérien. Ah ! la belle affaire ! Il a un passeport comme beaucoup d'opposants à l'époque. Ziyad part d'Algérie en 1985 lorsque l'Algérie se rapproche du Maroc et livre effectivement quelques islamistes au Maroc. Alors il vient en France. Un islamiste manipulé, Ziyad ? Non, un opposant, je le maintiens.

Il y a des événements que je dois reprendre pour que le tribunal puisse comprendre des itinéraires comme celui d'Abdelilah Ziyad. Et, notamment, l'annulation des élections en Algérie en 1992. Si ces élections n'avaient pas été annulées, Madame le procureur, vous auriez peut-être à Paris un ambassadeur islamiste. Ça se produira sûrement un jour. Tout le Paris musulman pratiquant était en effervescence avec les événements du Golfe, de Bosnie, d'Algérie. Depuis 1986, le monde arabe a considérablement changé. On ne peut plus raisonner comme des pieds-noirs. Dans tous les pays du Maghreb, qui sont tous des dictatures, il y a des partis islamistes forts. En Algérie, au Maroc, en Libye, en Égypte. On ne peut pas raisonner, comme le fait le ministère public, dans les termes d'une déclaration de guerre contre l'islamisme radical. Vous allez contre l'histoire, Madame le procureur. Et je me permets de vous rappeler que ce sont des islamistes qui gouvernent en Turquie, après des élections libres.

Monsieur le président, ne tombez pas dans le mani-chéisme. Vous n'avez pas d'un côté le "barbu", arro-gant et brutal – a-t-il été arrogant ? A-t-il été brutal ? – et de l'autre les jeunes manipulés par le méchant. C'est un postulat erroné. […]

Qu'y a-t-il dans le dossier ? Des convoyages d'armes en France et l'organisation de stages. Notamment des stages en Afghanistan dont on dit : "C'est du terrorisme, ils tirent au mortier." C'est un camp militaire, s'il faut appeler les choses par leur nom. Dans ce dossier, il n'est jamais question d'un attentat en France, d'orga-niser ou même de préparer un attentat en France. Il est question de convoyages d'armes, d'organisation de stages. Abdelilah Ziyad s'en est pris à son pays. Un pays sans élections, un pays où on torture.

L'année dernière en Corse, on a vu à la télévision une réunion de quatre cents personnes cagoulées, avec une mitraillette et un pistolet par personne. Là, il y en avait des armes ! Pas un ou deux malheureux Skorpio. Mais le ministère public est moins bavard sur celles-là. Madame le procureur, depuis 1976, l'enquête prélimi-naire sur le FLNC devrait peut-être toucher à sa fin, non ? Alors, quand ce sont des Corses on dit "autonomistes" et quand ce sont des Arabes, on dit "terroristes" ?

Nous vous demandons de faire la part des choses. »

JUGEMENT :

Le 9 janvier 1997, Le tribunal correctionnel de Paris a condamné Abdelilah Ziyad à 8 ans d'emprisonnement pour participation à une association de malfaiteurs. Abdelilah Ziyad a aussi été condamné à une interdiction du territoire français pour une durée de 10 ans.

L'affaire Bettencourt

L'affaire Bettencourt est un fait divers hors normes. Tout y semble démesuré. Les rancœurs entre une mère et sa fille, les frasques de l'accusé, les sommes en jeu, l'immixtion du pouvoir dans le dossier, le bras de fer entre un procureur et un juge du siège, la bataille enragée des avocats…

Avant de prendre des allures de scandale politique, le conflit s'est déroulé en toute discrétion. Il est d'abord familial. En décembre 2007, Françoise Meyers, la fille de Liliane Bettencourt (l'héritière de l'Oréal et l'une des plus grandes fortunes de France) porte plainte contre le photographe François-Marie Banier qu'elle accuse d'avoir abusé de la faiblesse de sa mère, la délestant de pas moins d'un milliard. Mais Madame Bettencourt, alors âgée de 84 ans, se défend bec et ongles : elle a, dit-elle, toute sa tête et, de son plein gré, elle a voulu soutenir et encourager l'artiste dandy. C'est aussi ce qu'elle s'en ira expliquer, quelques mois plus tard, au président Nicolas Sarkozy. Dès lors, le dossier est suivi en haut lieu. Malgré tout, le procureur de Nanterre, Philippe Courroye, a ouvert une enquête préliminaire. Il recueille plusieurs témoignages d'employés ou ex-employés de maison qui décrivent la santé dégradée de la vieille dame, ses absences ou ses pertes de mémoire.

Mais, en septembre 2009, il classe l'affaire. Selon lui, les éléments constitutifs de l'abus de faiblesse ne sont pas établis. D'autant que Liliane Bettencourt, assistée par Georges Kiejman, refuse obstinément de se prêter à toute expertise médicale et psychiatrique. Et s'offusque quand sa fille demande (en vain) sa mise sous tutelle.

Mais Françoise Meyers ne désarme pas. Son conseil, Olivier Metzner, qui avait flairé le classement, a pris soin de délivrer une citation directe (qui permet à un justiciable de saisir le tribunal pour faire comparaître la personne poursuivie) contre François-Marie Banier. Il a aussi habilement choisi la magistrate chargée de juger l'affaire, la présidente de la 15e chambre du tribunal de Nanterre, Isabelle Prévost-Desprez… ennemie jurée de Philippe Courroye. Après de multiples épisodes procéduraux, le procès est fixé au 1er juillet 2010. Un maître d'hôtel espion va faire exploser cet agenda judiciaire. Entre mai 2009 et mai 2010, le majordome a enregistré, en toute clandestinité, sur un petit magnétophone, les conversations privées de Liliane Bettencourt avec ses principaux conseillers. Le 16 juin, quinze jours avant l'audience, la presse en publie de saisissants extraits qui montrent une octogénaire souvent perdue. On y découvre aussi l'envers du décor : les relations entre le gestionnaire de fortune de Mme Bettencourt, Patrice de Maistre et l'ancien ministre du budget Éric Woerth, les tentatives de l'Élysée pour contrer l'action engagée par Françoise Meyers, les comptes en suisse ou une île des Seychelles non déclarés au fisc, les chèques versés – légalement – pour la campagne présidentielle de Nicolas Sarkozy. Bref, les relations entre le monde de l'argent et celui du pouvoir. L'histoire s'emballe, devient une « affaire Woerth »…

Le procès « Banier » se tient malgré tout le 1er juillet 2010. Les débats se focalisent sur les enregistrements pirates qui ont été transmis à la police, avant leur publication dans la presse, par Françoise Meyers. Faut-il les verser dans la procédure (et donc reporter le procès pour investiguer sur les nouveaux faits qu'ils révèlent) ? François-Marie Banier apparaît peu dans les enregistrements (on l'entend une dizaine de minutes sur 21 heures de bande), mais son avocat, Hervé Temime, ferraille aussi pour le principe. Il juge intolérable cette violation de la vie privée et du secret professionnel (le notaire de Mme Bettencourt mais aussi son avocat Georges Kiejman ont été « piégés » par le magnéto). Celui que l'on surnomme, un peu vite, « l'avocat du show-biz » (parce qu'il a parmi ses clients Roman Polanski, Catherine Deneuve, Gérard Depardieu, ou le docteur Delajoux) a la réputation d'être toujours confraternel avec ses homologues du barreau. Il a créé l'Association des avocats pénalistes, a défendu avec fougue l'image de la profession. Cette fois-ci, justement, il estime qu'elle est atteinte. Et il ne l'envoie pas dire à son confrère Metzner : « Qu'auriez-vous dit si on vous avait écouté et rendu publics vos entretiens avec Dominique de Villepin lors du procès Clearstream ? » Mais le plus cinglant et le plus offensif est Georges Kiejman. À 77 ans, il aime encore mordre et se confond comme toujours avec les causes qu'il défend. Qu'il agace ou qu'il subjugue, l'ancien ministre de François Mitterrand fait l'unanimité au barreau : « c'est le plus brillant d'entre nous », disent ses détracteurs comme ses admirateurs, soulignant son sens de l'anecdote et de l'humour, son amour des mots, son art féroce de la repartie. Un talent qu'il a mis au service du militant d'extrême gauche Pierre Goldmann dont il obtint l'acquittement, des autonomes italiens, du MLF, de Guy Debord, de la famille de Malik Oussekine mais aussi du préfet Bonnet, de Robert de Niro, de Nadine Trintignant, de Roman Polanski. Et de Liliane

Bettencourt. Pour défendre la vieille dame, qu'il « aime, dit-il, malgré sa fortune », il n'a pas de mots assez durs contre sa fille « indigne » et son conseil Olivier Metzner. Ce 1er juillet, le duel entre les deux avocats est sans merci. Le bras de fer continuera dans les mois qui suivent avec une violence rarement atteinte dans les annales du barreau.

PLAIDOIRIE PRONONCÉE PAR GEORGES KIEJMAN, AVOCAT DE LILIANE BETTENCOURT, LE 1er JUILLET 2010, DEVANT LE TRIBUNAL CORRECTIONNEL DE NANTERRE DANS LE PROCÈS DE FRANÇOIS-MARIE BANIER.

« Madame la présidente,

Devant la justice, chacun a droit à un procès équitable. Or ma cliente, Madame Liliane Bettencourt, considère qu'elle n'est plus en demeure d'espérer un procès équitable. Et les circonstances récentes (Georges Kiejman fait ici allusion à la publication dans la presse d'enregistrements clandestins réalisés au domicile de Liliane Bettencourt par son majordome) me font croire que plus jamais ce procès ne pourra redevenir équitable. Je vous demande donc son renvoi.

Madame Bettencourt n'est partie prenante dans ce procès qu'à travers une plainte qui vise Monsieur Banier. [François-Marie Banier est soupçonné d'avoir abusé de la faiblesse de Liliane Bettencourt. L'héritière âgée de 87 ans lui a en effet octroyé prés d'un milliard d'euros de dons divers et variés.]

Dans cette affaire, Françoise Meyers, la fille de Liliane Bettencourt estime qu'elle a subi un préjudice. Je veux en finir avec ce subterfuge ! La fille de l'héritière du groupe l'Oréal n'a subi aucun préjudice financier, puisque 90 à 95 % de la fortune de sa mère lui a

243

déjà été donnée en nue-propriété. La milliardaire, comme le dit à tort la presse, ce n'est pas Liliane Bettencourt, la milliardaire en capital, c'est Madame Meyers ! Je veux en finir aussi avec un autre subterfuge. Il n'y a pas non plus de préjudice moral. Quand une vieille petite fille de 57 ans vient vous dire "ma maman ne m'aime pas, elle en préfère un autre que moi" nous sommes face à un drame familial qui relève assurément plus de la psychanalyse que de la justice ! Madame la présidente, alors que vous n'avez été saisie que par une seule partie, alors que le parquet s'opposait à cette poursuite, vous avez voulu conserver la main sur ce procès. Si vous en aviez fini, cette affaire ne serait pas devenue le chaos judiciaire qu'elle est aujourd'hui. Et puisque Madame Meyers ne réclame en réalité qu'un euro de dommages et intérêts, finissons-en dès aujourd'hui ! [Georges Kiejman sort alors de sa mallette un chèque d'un montant d'un euro signé par Liliane Bettencourt et le tend à son confrère, l'avocat de Françoise Meyers, Me Olivier Metzner… qui s'empresse de le déchirer en petits morceaux. Georges Kiejman, lui, poursuit sa plaidoirie.] Voilà ! Françoise Meyers est indemnisée ! Et, je pense que ce chèque est provisionné…

La vérité de ce dossier, Madame la présidente, c'est qu'une vieille dame de 88 ans est tombée sur un jeune homme brillant et insupportable qu'elle a eu le malheur de préférer à sa fille et, si j'en juge les photos de celle-ci, le choix n'a pas dû être difficile à faire !

Mais, nous, nous devons faire face à un véritable complot. Un complot orchestré depuis un an pour mettre à mal Liliane Bettencourt. Un complot en bande organisée ! Il n'y a qu'à regarder la chronologie des derniers événements. Le majordome a remis les enregistrements clandestins à Françoise Meyers le 18 mai dernier. Or ce ne sera que le 10 juin que les enregistrements, cette fois-ci retranscrits, seront remis à la police judiciaire. Entre-temps ces documents ont été dupliqués en deux autres exemplaires, l'un sera remis au site internet Mediapart, et un autre au porte-parole habituel de mon confrère Metzner, le journal *Le Point*. Il est vrai qu'Olivier Metzner est un avocat médiatique. Un hebdomadaire, *Le Nouvel Observateur*, l'a récemment surnommé "Le roi de la place". C'est l'avocat que tout le monde s'arrache, qui orchestre la médiatisation de ses clients à la veille d'un grand procès, et d'ailleurs, il ne s'en cache pas, je le cite : "Je planifie tout à l'avance. Quand je communique, les instructions sont respectées : une agence fait un communiqué au jour dit, un journal publie l'info à un autre moment prévu d'avance, pareil pour les radios et les télés." Oui, nous sommes bien face à une bande organisée qui veut instrumentaliser la justice. Un complot dont Françoise Meyers est sans doute l'instigatrice et dont certains employés de Liliane Bettencourt sont les pions drivés par des avocats.

Que voyons-nous encore dans ce drame ? Françoise Meyers veut tout et encore plus ! Elle est milliardaire mais il lui faut encore le pouvoir absolu ! Il lui faut se venger de sa mère. Elle réclame la mise sous curatelle de Liliane Bettencourt, sa propre mère ! Certes, la surdité de Madame Bettencourt est de 99,76 %, ce qui parfois lui donne un air hagard et rend les conversations difficiles. Mais elle est en pleine possession de ses moyens. Elle a demandé à être interviewée par *Le Monde*, et cette interview le prouve. Cette femme a 88 ans et sa fille a le toupet de dire au *Figaro magazine* qu'elle agit pour le bien de sa mère et que, quand Monsieur Banier sera mis à distance, tout redeviendra comme avant. Pensez-vous qu'elle a le pouvoir d'éloigner Madame Bettencourt d'un ami de 20 ans ? De lui dire : "Cessez de voir des gens drôles et cultivés" ? Ma cliente a bien le droit de s'amuser dans les quelques années qui lui restent à vivre. Croyez-vous qu'une fois cet ami écarté, elle fera revenir sa mère aux dîners de shabbat qu'elle prépare tous les vendredis soir ?

En conclusion, Madame la présidente, je vous le demande avec une certaine solennité : est-ce que le tribunal va continuer à s'associer avec Françoise Meyers ? Je vous prie de bien vouloir mettre un terme à cette sinistre farce. Écartez ces enregistrements indignes. Prenez une décision historique pour la justice ! »

Plaidoirie en réponse d'Olivier Metzner, l'avocat de Françoise Meyers Bettencourt, la fille de Liliane Bettencourt

« Georges Kiejman aime beaucoup la presse puisqu'il ne parle que de la presse »… [Olivier Metzner ne peut pas finir la première phrase de sa plaidoirie. Son confrère, ulcéré, l'interrompt aussitôt « Qu'il ne me cherche pas parce que mon revers gauche est connu ! ». « Je n'ai pas prévu d'infirmerie », glisse en souriant la présidente. Et l'audience se poursuit dans cette atmosphère électrique.]

Georges Kiejman, reprend :

« Olivier Metzner aime donc beaucoup la presse… qui parfois le lui rend bien, Moi, je citerai le portrait de Kiejman dans *Challenges* qui titrait: "L'avocat psy". Et c'est cet avocat qui se permet aujourd'hui d'injurier, d'outrager la fille de sa cliente ! Je ne suis pas sûr que celle-ci accepte les propos tenus.

Mais tout ceci n'est qu'une pitoyable diversion. La réalité c'est que, de l'autre côté de cette barre, on ne veut pas que la vérité éclate. On ne veut pas que les témoins témoignent. La réalité, et elle est cruelle, c'est que Liliane Bettencourt dispose de bien peu de liberté. Il est exact qu'elle a demandé au journal *Le Monde* de l'interviewer. Cet entretien a duré 21 minutes. Pas une de plus. Pourquoi ? Parce que Patrice de Maistre, le conseiller de Liliane Bettencourt a tout arrêté, il a dit stop. Et ce, alors même que Madame Bettencourt voulait poursuivre la discussion. Ce n'est pas moi qui invente cette scène, c'est le journaliste qui a conduit cette interview qui a cru bon de la rapporter.

La réalité, et elle est toujours aussi cruelle, c'est que Liliane Bettencourt est aujourd'hui une femme sous influence. Sous influence de François-Marie Banier, et sous influence de ses conseillers. Et non, Maître Kiejman, sa fille Françoise Bettencourt ne s'intéresse pas à l'argent mais à sa mère qui est dans une situation précaire. Quand Madame Bettencourt veut voir sa fille, on lui dit NON. Tout cela est inscrit, tout cela figure dans le dossier qui doit être jugé par votre tribunal ["Faux !" s'écrie Georges Kiejman, qui interrompt une nouvelle fois son confrère. Olivier Metzner fait comme s'il n'avait rien entendu et poursuit, imperturbable :]

Vous considérez, Maître Kiejman, que les personnels de maison, qui ont apporté leurs témoignages dans cette enquête, ont été instrumentalisés. Moi, je comprends que des personnes qui ont servi pendant 10, 20 ou 30 ans la famille ne supportent pas l'intrusion de quelqu'un auprès de Madame Bettencourt. Je comprends que ces enregistrements dérangent Monsieur Kiejman. On y entend quelqu'un venu briser cette famille pour des raisons purement financières. Quelqu'un qui réduit tout à l'argent. Un milliard d'euros, ce n'est quand même pas rien ! Et vous osez nous accuser, nous reprocher, à ma cliente et à moi, de demander un euro, seulement, de dommages et intérêts à Monsieur Banier. Un euro qui a force de symbole. Pis, on me remet un chèque dont j'ai fait quelques confettis. Car moi je n'accepte pas que ce qui doit être payé par Monsieur Banier soit payé par Madame Bettencourt. Même pour un euro, il fait appel à elle ! Ce chèque est le produit d'un abus de faiblesse. Je l'ai déchiré. Je refuse d'en être le receleur !

Ces enregistrements, Maître Kiejman, je conçois qu'ils vous dérangent. Je comprends votre gêne lorsqu'on entend Liliane Bettencourt déclarer, à propos de François-Marie Banier : "Il va me tuer !" Ou bien encore lorsqu'on écoute Patrice de Maistre s'inquiéter de l'attitude de Banier auprès de Madame Bettencourt : "Il a été violent avec vous par deux fois." Est-ce que ce n'est pas nauséabond qu'un homme exploite une femme de ce âge ? Une femme tellement consciente, selon vous Maître Kiejman, qu'elle demande à Monsieur de Maistre : "Combien j'ai d'argent ?" Une femme tellement consciente dont la fille va pourtant découvrir que l'argent a été discrètement placé par des conseillers à l'étranger, alors qu'elle a toujours payé ses impôts en France ! Une femme tellement consciente qu'elle se voit contrainte de verser un loyer pour pouvoir aller sur une île qu'elle a achetée ! Ces enregistrements, vous aimeriez tellement qu'ils n'aient jamais eu lieu. Ils sont pourtant aujourd'hui les éléments d'une procédure pénale. Ce qui importe, c'est leur contenu, et non leur origine. La Cour de cassation a validé à plusieurs reprises des preuves recueillies de façon illégale. Ces enregistrements doivent faire l'objet d'un supplément d'information. Est-ce que la vérité a des limites ? »

JUGEMENT :

Le 1ᵉʳ juillet 2010, le tribunal de Nanterre a renvoyé le procès de François-Marie Banier afin d'enquêter sur les enregistrements clandestins versés au dossier par la fille de Liliane Bettencourt. Comme le réclamait donc Olivier Metzner.

L'affaire Georges Ibrahim Abdallah

Depuis vingt-six ans, Georges Ibrahim Abdallah est incarcéré dans une prison française. Le terroriste libanais membre du FPLP (Front populaire pour la libération de la Palestine) purge une peine de réclusion criminelle à perpétuité pour avoir assassiné en 1982, à Paris, un diplomate israélien et un attaché militaire américain. En avril 2007, son avocat, Jacques Vergès, plaide pour la septième fois consécutive une remise en liberté qui lui a toujours été refusée. Ce farouche partisan de la « défense de rupture » instruit alors un véritable « procès du procès ». Il met en accusation l'État américain, en s'appuyant notamment sur une note de la DST (le service du contre-espionnage) qui qualifie Ibrahim Abdallah de « menace pour la sécurité du territoire ». Selon Vergès, cette note est un non-sens, elle ne peut s'expliquer que d'une seule manière : la DST veut faire plaisir aux Américains qui s'opposent à la libération du terroriste. Dans sa plaidoirie, l'avocat dénonce donc les errements de la politique américaine de l'après-11-Septembre et stigmatise la lutte antiterroriste menée par George Bush. Jacques Vergès est un habitué de ce genre de « contre-pied procédural ». Il en a fait sa marque de fabrique. Quand il défend Omar Radad – le jardinier marocain condamné pour avoir tué une riche veuve dans le sud de la France – il ne s'attarde pas sur les nombreux éléments à charge qui accablent son client. Mais il dénonce le racisme antiarabe, arrive à s'attirer les sympathies de l'opinion publique et transforme ainsi le jardinier en symbole vivant de l'erreur judiciaire. Pendant le procès Barbie, au crime contre l'humanité commis par le chef de la Gestapo, il répond par les crimes colonialistes perpétrés par la France en Algérie. Jacques Vergès, qu'on vénère ou qu'on exècre, est un agitateur, un provocateur et souvent un manipulateur hors pair. Résistant à 17 ans, il s'engage dans les FFL (Forces françaises libres). Il restera d'ailleurs toujours très attaché à de Gaulle. À la Libération, il adhère cependant au Parti communiste puis il s'installe à Prague jusqu'en 1954. De retour en France, il devient avocat. Militant anticolonialiste, il rencontre à Paris les futurs chefs Khmers Rouges avant de soutenir activement l'insurrection algérienne. Maoïste dans les années 1960 – il rencontre Mao Tsé-toung en personne – il part, quelques années plus tard, à Alger pour y monter un cabinet d'avocat. Et puis, il disparaît ! Pendant près de dix ans, de 1970 à 1978, personne ne sait ce qu'est devenu Jacques Vergès. Il a toujours entretenu le mystère sur cette période. Aux journalistes qui lui ont souvent demandé s'il était au Liban, à Moscou ou s'il travaillait pour les Khmers Rouges, il a toujours répondu, énigmatique, qu'il était « très à l'Est de la France ». Défenseur de Klaus Barbie, de l'irakien Tarek Aziz, du capitaine Baril ancien gendarme de l'Élysée sous Mitterrand, du préfet Bonnet, de Carlos, des terroristes d'action directe, d'Annis Nacache ou de Louise Yvonne Casetta, la trésorière occulte du RPR, Jacques Vergès, l'« avocat de la terreur », a traversé un siècle de fureur et de passion politique. Né en 1927, il a déjà 80 ans quand il plaide, toujours avec la même hargne et la même passion pour obtenir la libération de Georges Ibrahim Abdallah.

« Prisonnier de l'État français, Georges Ibrahim Abdallah a déposé entre les mains d'un tribunal français une demande de liberté conditionnelle le 6 février 2007. Le *State Department* n'a pas mis longtemps à réagir. Le 9 mars, sous la forme brutale à quoi l'on reconnaît désormais la signature de sa diplomatie, il fait savoir : "Le gouvernement des États-Unis exprime sa ferme opposition quant à l'éventualité d'une mise en liberté conditionnelle de Georges Ibrahim Abdallah pouvant résulter de la procédure à venir devant le tribunal de grande instance de Paris."

Les autorités américaines oublient que la sanction pénale et la privation de liberté relèvent des prérogatives des seuls États responsables et pas de leurs voisins ou alliés. Certes, rien n'interdit formellement à un État étranger de souhaiter la sévérité de la part de la justice d'un autre pays, si le Dieu vengeur dont il se réclame l'exige. Rien, excepté le savoir-vivre, les bonnes manières internationales, les vieux usages diplomatiques, dont on semble à Washington ignorer jusqu'à l'existence.

Mais après tout, la vulgarité n'est soumise qu'au seul tribunal du mauvais goût. Le gouvernement américain y a sa place réservée. Pour autant, rien ne l'autorise, et ce n'est plus ici une question de civilité, à notifier à la justice française, sur un ton impérieux "sa ferme opposition" à une mesure de liberté éventuelle qu'elle pourrait prononcer.

Il y a dans cette prétention des autorités américaines une ingérence inacceptable et un outrage à la justice française. Est-il besoin de le rappeler, que ce n'est pas à un État étranger, se crût-il le maître du monde, de régenter la justice française ou d'exprimer sa ferme opposition à une décision souveraine qu'elle pourrait rendre en tapant du poing sur le bureau des juges. On regrettera donc que la DST, dans un rapport scandaleux, ait cru devoir se faire le relais des exigences du *State Department*.

Les autorités américaines n'ont pas besoin que les services français leur tiennent la main. Elles l'ont bien assez longue comme ça. D'autant qu'elles n'en sont pas, en ce qui concerne Georges Ibrahim Abdallah, à leur coup d'essai. Déjà, William Casey, alors patron de la CIA, était venu, il y a plus de 25 ans en France, avec l'arrogance que semble conférer ce type de fonction, exercer, en prévision de la comparution de Georges Ibrahim Abdallah devant les assises, une pression sur le gouvernement français, en la personne de Monsieur Robert Pandraud, ministre de la Sécurité. Messieurs de Meritens et Villeneuve rapportent ainsi leur entrevue dans un livre intitulé *Les Masques du terrorisme*. Au cours du repas offert par Monsieur Pandraud : William menace Robert de sa fourchette. Le message est clair : si Abdallah n'est pas condamné à perpétuité, les États-Unis considéreront que la France n'a pas respecté la plus élémentaire justice, qu'elle a manqué à ses devoirs envers eux, et ce sera la rupture diplomatique. Rien de moins. Scandale international, honte et crachat sur Paris, etc. Robert Pandraud déglutit la menace en même tant que sa bouchée. Il avale tout cela lentement, en silence. Casey y est allé fort… C'est inacceptable…

Mais réagir avec hauteur équivaudrait à entériner le principe du chantage...

En quelques secondes, la réplique va jaillir, typique du personnage, pince-sans-rire :

"J'ai beaucoup mieux à vous proposer, dit froidement Pandraud. On libère Abdallah. Si vous voulez, on discute de la date. On l'envoie au Moyen-Orient, et puis on vous donne ses coordonnées. Vous, États-Unis, grande puissance, avec vos réseaux de cette région, ce ne sera pas difficile, vous le liquidez, et on n'en parle plus."

Casey en reste médusé. Le chantage aux relations diplomatiques apparaît, dans sa nudité, dans son ridicule absolu.

Dois-je enfin rappeler qu'au cours du procès de Georges Ibrahim Abdallah, l'avocat du gouvernement américain ayant audacieusement comparé la justice de la France aux sections spéciales de Vichy, au cas où la décision ne serait pas expressément conforme à la volonté du *State Department*, l'avocat général Monsieur Pierre Baechlin avait cru devoir lui répondre en ces termes bien choisis :

"Vous êtes ici la voix de l'Amérique. Il n'appartient pas à la partie civile de s'ingérer dans les affaires de la France. Vous n'êtes en rien habilité à donner des leçons de comportement aux Français."

Aujourd'hui, la partie américaine comprend bien qu'un ordre tombé trop brutalement d'en haut ne peut que blesser ceux qui, en France, seraient tout à fait disposés à lui obéir, mais sous condition que les formes soient respectées. Il lui faut habiller ses demandes d'insinuations, construites à partir d'extrapolations noyées sous des sous-entendus et des arrière-pensées. La mauvaise foi finira peut-être par éclater au grand jour, mais le mal aura bel et bien été fait. C'est "l'air de la calomnie" qu'on va jouer, mais avec des instruments si grossiers qu'on en éprouve quelque honte à évoquer les noms de Beaumarchais et de Rossini.

Analysons les différentes phases du "message américain". D'abord, en prison, Georges Ibrahim Abdallah serait en rapport avec "des détenus d'extrême gauche et des éléments radicaux maghrébins". Que ne l'a-t-on dit plus tôt à l'administration pénitentiaire ? C'est elle en effet qui a regroupé ces prisonniers dans un même quartier. Soit elle est fautive, auquel cas il faut s'adresser directement à elle. Soit, plus vraisemblablement, l'administration estime qu'il n'y a là rien de condamnable. Dans ces conditions, on ne saurait reprocher à Georges Ibrahim Abdallah de parler à la promenade avec les codétenus.

L'argument est stupide et médiocre. Il faudrait d'ailleurs savoir à la fin où la partie civile veut en venir. Si elle considère que G.I. Abdallah est dangereux en prison par ses mauvaises fréquentations, on ne peut que l'inviter à réexaminer sous un jour plus favorable la demande de liberté qu'il a déposée.

Ensuite, l'expert français, commis par un juge français, estime que Georges Ibrahim Abdallah est apte à se réinsérer dans la vie civile au Liban. Comme de bien entendu, les Américains contestent l'expertise. On n'en attendait pas moins d'eux. Tant qu'à faire, autant recourir à des experts américains. Le *State Department* ne devrait pas être en peine de fournir au tribunal quelques bonnes adresses.

Enfin, les Américains font le reproche à Georges Ibrahim Abdallah de ne pas verser d'argent aux parties civiles, sachant très bien qu'il n'est pas en mesure de le faire, puisqu'il se trouve être là où ils veulent le maintenir à tout prix. À quoi ils rétorquent : "Il aurait pu travailler." Mais le travail en prison n'est pas soumis au Code du travail, c'est du travail au noir. Le refus de

Georges Ibrahim Abdallah de travailler au noir pour des négriers est moral.

Les Américains doivent entrevoir les limites de leur argumentation puisqu'ils se rabattent sur une autre piste, mais d'une si grande imprécision qu'elle conduit nulle part : "Tout permet de croire que Monsieur Abdallah dispose au Liban d'un certain patrimoine familial."

Comme on ne dit pas en quoi consiste ce grand "tout" vague et confus, tout ou rien c'est du pareil au même. Si la réalité du patrimoine de G.I. Abdallah est établie, pourquoi ne pas engager au Liban une procédure de saisie ? Dans le cas contraire, nous sommes fondés à penser que cet argument repose lui aussi sur une insinuation. Dans l'insinuation, on sait que l'énoncé est partiel et équivoque, l'accusation qu'il contient étant en elle-même sujette à caution. On a là un parfait condensé des arguments avancés par la partie civile.

On peut la décrire, pour rester dans le registre d'agression continuelle cher à la rhétorique punitive des Américains, comme celle d'un fusil à deux coups. L'arme des maladroits. On a ainsi le droit de rater une fois sa cible. Premier coup : l'insinuation. Contester la crédibilité d'un expert français nommé par un juge français sans réclamer une contre-expertise, alléguer que le prisonnier a sans doute un patrimoine mais sans en préciser la nature, reprocher au prisonnier la compagnie de codétenus qu'on lui donne, sont autant d'arguments gratuits, arbitraires et sinistrement fantaisistes, qui ne peuvent raisonnablement pas emporter la conviction. D'où le recours aux mensonges par les Américains. C'est le second coup de fusil. Le chasseur et les rabatteurs font le pari que "plus le mensonge est gros, plus les gens y croient". Premier mensonge répugnant : Georges Ibrahim Abdallah serait impliqué dans les attentats qui ont dévasté Paris en 1986. Ce mensonge est d'autant plus infâme que les enquêtes du pôle anti-terroriste du parquet de Paris ont démontré depuis que ni Abdallah, ni ses proches n'étaient impliqués dans ces attentats. M. Marsaud du pôle antiterroriste écrit dans *Avant de tout oublier*, un livre de souvenirs, qu'"Abdallah fut en partie condamné pour ce qu'il n'avait pas fait car, peu de temps après, nous allions partir sur une bonne piste et identifier les véritables responsables des attentats de 1986. L'établissement de la responsabilité de Fouad Saleh dans ces attentats faisait d'un coup retomber la pression, et, par ricochet, remettait Georges Ibrahim Abdallah à sa véritable place. Quelques heures après l'attentat de la rue de Rennes pourtant, la piste des frères Abdallah avait été retenue et de nombreux témoins avaient identifié sur les photos les frères de Georges Ibrahim. Nous avons eu assez rapidement l'explication de cette méprise : l'un des poseurs de bombe, qui avait notamment agi rue de Rennes, un nommé Habib Haidar, ressemblait quasiment trait pour trait à Émile Abdallah". Cela, les Américains le savent mais ils font semblant de l'ignorer pour accabler Georges Ibrahim Abdallah.

Second mensonge tout aussi répugnant : Georges Ibrahim Abdallah serait devenu musulman. C'est la DST, dont décidément il va falloir songer à transférer les services outre-Atlantique, qui l'affirme, sans apporter la moindre preuve, et pour cause. Toujours en verve, elle se risque à avancer une hypothèse qui ne passerait pas à l'épreuve d'un détecteur de mensonges : "Ces relations avec la population carcérale d'origine maghrébine et/ou l'évolution et l'islamisation du combat anti-impérialiste et antisioniste sont probablement les raisons qui ont poussé le détenu, ancien chrétien marxiste, à se convertir à l'islam." On appréciera à sa juste valeur le "et/ou", censé introduire un semblant de pondération scientifi-que. Si on n'avait pas déjà trop souvent ressenti dans ce dossier l'américano-centrisme effarant de la DST, on aurait de quoi être surpris de constater qu'un service de la police française en vienne à se mêler des opinions religieuses des gens et à fonder ses analyses sur les mensonges du *State Department*. On a peine à lui rappeler qu'à la différence des États-Unis, la France n'est pas une République confessionnelle, fondamentaliste ou créationniste, mais laïque. À vrai dire, on n'est surpris qu'à moitié, tant est grande la tentation en Occident d'assimiler tout musulman à un criminel. L'imputation de terrorisme faite à l'islam est insultante. Elle est malheureusement courante. C'est cela que le rapport de la DST suggère, dans un racisme qui ne prend même plus la peine de se voiler.

Georges Ibrahim Abdallah a droit à la liberté conditionnelle.

Je vous rappelle que le 19 novembre 2003, la juridiction régionale de libération conditionnelle de la cour d'appel de Pau rendait la décision suivante : "Attendu que M. Georges Ibrahim Abdallah a toujours montré durant son incarcération un excellent comportement notamment avec le personnel pénitentiaire, intervenant même, à une occasion pour protéger l'intégrité physique d'un surveillant menacé ; attendu qu'aux termes de l'expertise psychiatrique, acceptée par le condamné qui dans un premier temps s'y était refusé par principe, il apparaît que M. Georges Ibrahim Abdallah ne présente aucune pathologie mentale ; attendu que cette expertise a mis en exergue une évolution des convictions de M. Georges, Ibrahim Abdallah liée à sa maturation et à son analyse actuelle de la situation de son pays qui exclut 'en tant qu'adulte tout comportement armé' ; attendu, en outre que M. Georges Ibrahim Abdallah qui, du fait de son incarcération mais aussi de son refus de principe, n'a indemnisé que de façon dérisoire par le biais du prélèvement obligatoire les parties civiles, admet actuellement devoir procéder à cette indemnisation et s'est engagé, à l'audience, à ne rien faire pour s'y opposer, attendu que M. Georges Ibrahim Abdallah présente un projet cohérent comportant des garanties d'hébergement et un emploi d'enseignant dans son pays, le Liban, revenu à une situation politique stable ; attendu qu'il résulte de ce qui précède que nonobstant tout reniement par M. Georges Ibrahim Abdallah de ses convictions politiques, son comportement en détention mais surtout l'évolution de sa personnalité et son désir de retrouver la paix civile manifestent les efforts sérieux de réinsertion sociale requis par l'article 729 du Code de procédure pénale et excluent le risque d'une récidive, qu'il y a donc lieu d'octroyer à M. Georges Ibrahim Abdallah le bénéfice de la libération conditionnelle sous réserves de mise à exécution de la décision d'interdiction du territoire français prononcée à son encontre par le tribunal correctionnel de Lyon le 17 juillet 1986."

Sur appel du parquet, la juridiction nationale de la libération conditionnelle a infirmé cette décision le 16 janvier 2004. La juridiction nationale s'est alignée sur les arguments du parquet qui reprochait aux juges de la juridiction régionale de n'avoir "voulu tenir aucun compte de l'impact susceptible d'être provoqué en France, aux États-Unis et en Israël par la libération de ce condamné et ce, alors même que la situation au Proche-Orient est particulièrement tendue". À trop écouter l'oncle Sam, l'on devient décidément sourd à la raison. C'est de cet insupportable protectorat américain que nous vous demandons de libérer la justice française en rendant à Georges Ibrahim Abdallah la liberté à laquelle les textes français lui donnent droit.

Le harcèlement judiciaire des Américains contre Georges Ibrahim Abdallah ne s'explique pas si l'on s'en tient aux seuls éléments que contient son dossier. Vingt-cinq ans se sont écoulés depuis le commencement de cette affaire. Un quart de siècle, une génération, un changement d'époque, et même à certains égards un changement de cycle historique. C'est donc ailleurs qu'il faut chercher les raisons cachées d'un acharnement qui, en toute objectivité, n'a plus lieu d'être. En réalité, il apparaît rapidement que G.I. Abdallah n'est qu'un prétexte. À travers lui, on veut faire un exemple pour des faits et des événements qui se sont déroulés longtemps après son incarcération, dans un contexte radicalement différent et avec d'autres acteurs. Derrière les barreaux et à vingt-cinq ans de distance, G.I. Abdallah court le risque de devenir une nouvelle victime collatérale de la guerre menée par l'administration américaine contre l'"islam radical". L'accusation grossière de sa conversion à l'islam ne se comprend que sous cet angle-là. Elle montre bien la contamination du dossier par des éléments qui lui sont extérieurs et postérieurs. Il n'y a eu en effet aucune dimension religieuse notable dans le procès de G.I. Abdallah.

Les pressions américaines ne sont donc pas seulement injustifiables au regard de l'indépendance de la France et de sa justice, elles comportent encore une erreur volontaire de perspective qui repose sur une fausse symétrie et des confusions en tout genre. C'est l'Amérique d'après le 11 Septembre qui parle ici, rétroactivement, par la voix de son avocat. Il ne sert à rien de dire seulement que l'ingérence américaine est indue. Elle est encore, indépendamment de cela, anachronique. Aucune assertion ne la motive directement, sauf à supposer la concordance du passé et du présent. Car c'est uniquement à la lumière du 11 Septembre que cette ingérence prend tout son sens. En apparence seulement, on poursuit G.I. Abdallah pour des faits remontant à 1982 ; en réalité, il tombe sous le coup de la rigueur d'un monde qui croit dur comme fer au choc des civilisations. Ce n'est donc pas qu'on se refuse à refermer le dossier, même si par principe et par aveuglement on s'y refuse, c'est principalement qu'on espère le voir incorporer à d'autres affaires, toutes celles ouvertes après le 11 Septembre.

La chute du Mur de Berlin a définitivement scellé le sort d'un monde, celle des Tours jumelles en a inauguré un autre, sans comparaison avec le précédent. Les faits reprochés à Georges Ibrahim Abdallah ne sauraient donc se confondre avec ceux reprochés à la nébuleuse Al-Qaïda ou aux nouvelles formes de terrorisme qui émaillent les divers conflits en cours au Moyen-Orient.

Aussi absurde que cela puisse paraître, c'est pourtant la seule raison, en l'absence de toute autre, que l'on peut avancer une forme d'explication à l'intransigeance des Américains et aux exigences de la partie civile.

C'est de Georges Ibrahim Abdallah dont il est question ici, pas des enjeux de la politique étrangère américaine ; pour des faits qui datent de 1982, et non de l'après-11-Septembre 2001. C'est pourquoi nous demandons à la justice française de signifier à nos condescendants amis américains que la France n'est pas une fille soumise, en un mot une putain. »

JUGEMENT :

Le 10 octobre 2007, Le tribunal d'application des peines a rejeté la demande de libération conditionnelle de Georges Ibrahim Abdallah. Le tribunal a considéré qu'Abdallah continuait d'être une menace pour la sécurité de la France. En octobre 2010, il était toujours incarcéré à la prison de Lannemezan.

Le procès de l'Ordre du Temple solaire

La personnalité de ce chef d'orchestre fantasque féru d'ésotérisme a été au centre du procès qui s'est tenu en octobre 2001 à Grenoble. Michel Tabachnik y était présenté comme un dangereux gourou. Il a pourtant été relaxé.

Le 23 décembre 1995, dans une clairière du Vercors, au lieu-dit « Le trou de l'enfer », seize corps calcinés sont retrouvés dans les restes d'un brasier. Les cadavres aux têtes couvertes de sacs en plastique sont disposés en cercle. Cette mise en scène macabre dirige les enquêteurs sur la piste de l'OTS, l'Ordre du Temple solaire, dont quarante-huit adeptes ont été retrouvés morts lors de précédents « suicides collectifs ». La secte, qui a rassemblé jusqu'à six cents membres, s'inspire de théories maçonniques et templières. Sa « doctrine » est aussi simpliste que radicale : le monde court à sa perte, l'apocalypse approche, seul un groupe d'initiés peut quitter son enveloppe charnelle pour transiter vers Sirius, l'étoile la plus brillante de l'univers, afin d'y préserver l'esprit de l'humanité. L'OTS est dirigée par deux gourous : Joseph Di Mambro, un bijoutier-joaillier, portant perruque et vêtements élimés et Luc Jouret, un homéopathe plein de charme et beau parleur. Tous les deux, après avoir programmé le « transit » vers Sirius, ont disparu quelque temps plus tôt dans l'incendie volontaire de plusieurs chalets en Suisse. Les deux principaux gourous étant décédés, le juge d'instruction concentre son enquête sur un troisième personnage : Michel Tabachnik.

Ce chef d'orchestre suisse de réputation internationale, ancien élève de Pierre Boulez, serait, selon l'accusation, l'ultime survivant de la hiérarchie de l'Ordre. Passionné d'ésotérisme, il apparaissait dans les cérémonies de la secte revêtu d'une grande cape dorée. Il lui est reproché d'avoir annoncé la fin de l'Ordre du Temple solaire lors d'une conférence qu'il a tenue à Avignon en 1994. Le ministère public interprète cette prédiction comme le signal de départ des massacres. Le chef d'orchestre est aussi poursuivi pour avoir rédigé les « archées », une somme d'écrits en « langage de Sirius » considérés comme le fondement théorique de la doctrine de l'OTS. Renvoyé devant le tribunal pour « participation à une association de malfaiteurs en vue de la préparation d'assassinats », il risque jusqu'à 10 ans de prison.

Son procès s'ouvre le 17 avril 2001 à Grenoble. Les zones d'ombres de l'enquête pèsent sur les débats. Plusieurs familles de victimes sont en effet persuadées que leurs proches ne se sont pas suicidés mais ont été assassinés par un mystérieux commando qui, une fois le massacre perpétré, aurait réussi à prendre la fuite. Cette hypothèse ne sera cependant pas retenue par la justice. L'audience est également marquée par l'affrontement brutal entre le procureur de la République, Pierre-Marie Cuny et l'avocat de la défense, Francis Szpiner. Deux hommes, deux styles et deux conceptions du dossier. Magistrat austère à la moustache sévère, Pierre-Marie Cuny réclame cinq ans de prison contre Michel Tabachnik qu'il accuse d'avoir joué les « apprentis sorciers » et qu'il juge complice de Joseph Di Mambro. Le procureur compare les deux hommes à deux « Dupont et Dupond qui s'habillaient pareil, déménageaient ensemble d'un continent à l'autre, l'un apportant son intelligence à la malignité de l'autre ». En réponse, Francis Szpiner, avocat bouillonnant et flamboyant, souligne le vide de l'accusation et les incohérences de l'instruction. Me Szpiner est un habitué des dossiers délicats et sensibles. L'avocat de Jacques Chirac, puis d'Alain Juppé a longtemps « géré » les affaires du RPR et de la mairie de Paris. Il a même été présenté un temps comme l'animateur d'un « cabinet noir » à l'Élysée, ce dont il s'est toujours défendu. Cet intellectuel, spécialiste de droit international, ancien vice-président de la CNCDH, Commission nationale consultative des droits de l'homme, est aussi un défenseur des libertés.

PLAIDOIRIE DE FRANCIS SZPINER,
AVOCAT DE MICHEL TABACHNIK,
PRONONCÉE LE 27 AVRIL 2001
DEVANT LE TRIBUNAL CORRECTIONNEL DE GRENOBLE.

« Dans ce dossier, la justice s'évertue à traduire un drame en équation juridique. En réalité, Monsieur le procureur de la République, si Michel Tabachnik est poursuivi devant votre tribunal, c'est pour une seule et unique raison : parce que la justice a besoin d'un coupable. Le drame du Vercors, avec ses 16 morts, ne peut, à vos yeux, rester impuni. Et face à l'ampleur d'un tel drame, il vous faut, coûte que coûte, un procès. Or dans ce dossier où tous les protagonistes sont morts, il n'en reste qu'un : Michel Tabachnik.

C'est le bouc émissaire idéal ! Un bouc émissaire que vous avez transformé pour l'occasion en mécène de la justice. C'est-à-dire, au sens propre du terme, celui qui vous permet d'exercer votre art, celui qui permet de montrer que Monsieur le juge d'instruction a bien travaillé. Vous avez fait de Michel Tabachnik un cobaye ! Le cobaye d'une répression pédagogique contre les sectes. Seulement, Monsieur le procureur de la République, et votre réquisitoire ne peut rien y changer – car au fond, vous le savez fort bien – Michel Tabachnik n'a rien fait ! Et comme il n'a rien fait, on a forgé cette accusation absurde d'association de malfaiteurs. Michel Tabachnik est renvoyé devant votre tribunal pour association de malfaiteurs en vue de la préparation d'assassinats. Arrêtons-nous un instant sur cette qualification. L'association de malfaiteurs est le texte le plus liberticide qui soit ! C'est une survivance anachronique de la "loi des suspects" sous la terreur. C'est un délit qui n'existe pas dans l'écrasante majorité des pays civilisés. Parce qu'en réalité celui qui est poursuivi pour "association de malfaiteurs" n'a rien fait. Non, on lui prête seulement l'idée d'avoir été avec des gens qui ont fait. Et dans ce procès – et ce n'est pas le moindre des paradoxes – Michel Tabachnik est poursuivi, de plus, pour une association de malfaiteurs dont il est le seul membre ! Vous me direz que les autres sont morts… mais il n'en reste pas moins qu'il demeure aujourd'hui le seul pseudo-membre de votre association ! En vérité, Monsieur le procureur, vous êtes dans une accusation de raccroc, une accusation prétexte ! Je vous mets au défi de me dire à quel moment Michel Tabachnik aurait cautionné la préparation d'un assassinat. Et pourtant vous avez osé réclamer contre lui une peine de 5 ans de prison. 5 années de prison pour quelqu'un qui est libre, qui s'est présenté de lui-même devant votre tribunal et qui n'a aucun casier judiciaire. 5 années de prison, mais de quel crime s'agit-il ? À quel crime a-t-il participé ? En fait, vous ne lui reprochez qu'une chose : ses écrits. C'est extraordinaire ! Une telle peine pour simplement avoir écrit ! Je trouve que cela fait beaucoup. Votre réquisitoire est emprunt d'une pensée liberticide. Si vous dites qu'on peut être condamné pour des écrits, cela veut dire que nous ne sommes plus en République. Condamner, ce serait violer la liberté d'expression !

Eh bien, étudions-les, ces fameux écrits de Tabachnik ! Ces récits ésotériques, les "archées" utilisés pour l'initiation de nouveaux membres. D'abord ils ont été écrits en français ces "archées", il ne les a pas écrits en araméen ou en quelque langue inconnue, il les a écrits en français. Dans ce tribunal, nous les avons tous lus, et nous avons tous donné notre interprétation. Pour Monsieur le président, c'est un jeu de l'esprit ; pour certains avocats des parties civiles, représentant les victimes, c'est mortifère ou luciférien ; moi je les ai lus, je les trouve illisibles... et je pense que la première victime de Michel Tabachnik, c'est la secrétaire qui a tapé ce texte. Et pour les adeptes... c'était chiant. Il faut arrêter de malaxer les mots ! C'était d'abord chiant ! Mais vous, Monsieur le procureur, vous nous dites : "le Tribunal, les parties civiles, la défense ne savent pas lire, ces écrits ont un sens caché et il faut les découvrir." Méfiez-vous, Monsieur le procureur, avec une telle approche, vous versez déjà dans l'occultisme et l'ésotérisme. Alors, pour percer le sens caché des "archées" de Michel Tabachnik, vous avez désigné un expert. Ah, j'adore quand la justice doute. Car quand la justice est incapable de prouver quelque chose, elle se précipite sur quelqu'un qu'elle baptise pompeusement expert, pour essayer de donner une caution scientifique à son accusation. Mais, quand Monsieur le procureur de la République vient vous dire : "Michel Tabachnik, par ses écrits, a poussé les gens vers la mort" pourquoi, si cela est si évident que cela, a-t-il besoin d'un expert ? Pourquoi, si cela était si clair, avoir recours à un expert pour affirmer, en fait, l'expert pense la même chose que moi, donc c'est vrai !

Et qui avez-vous pris comme expert, alors là... c'est admirable ! Vous avez été pêcher, je ne sais où, un psychiatre – ce qui en matière d'expertise en ésotérisme est déjà pour le moins audacieux – et vous avez choisi un psychiatre dont la seule qualité est le nomadisme ésotérique ! À vous en croire, le docteur Abgrall tirait sa compétence de sa fréquentation assidue de nombreux cercles. Il aurait navigué entre les roses-croix et les francs-maçons, en se promenant de loges en loges tel un concierge itinérant. Il aurait donc, de par son commerce avec les loges, acquis quelque science qui lui permettrait de discerner ce que nous, pauvres ignorants, malheureux analphabètes, nous n'arrivons ni à lire, ni à comprendre. Selon Monsieur le procureur de la République, le tribunal et la défense sont tellement ignares, ou inintelligents qu'ils sont incapables de comprendre ce qui est écrit. Nous aurions donc besoin d'un expert pour nous éclairer. Quand on connaît la "qualité" de cet expert, c'est ridicule. Risible. Pitoyable !

La vérité, c'est que cette affaire nous dérange. Comment en effet les adeptes de l'OTS, tous des gens normaux, ont-ils pu croire de telles choses ? Mais, c'est le mystère de la foi ! Si je reprenais tous les livres sacrés, que ce soit la Bible, l'Ancien Testament, le Nouveau Testament et le Coran, et si je prenais à la lettre certains versets ou certaines sourates, je pourrais remplir le tribunal de Grenoble durant des années sans désemparer. Dans cette affaire, ce qui nous gêne, c'est que des gens aient décidé de se donner la mort et que nous ne comprenons pas pourquoi des médecins, des personnes qui avaient un statut social, des gens qui avaient tous des situations décident de renoncer à tout cela. Alors comme vous ne comprenez pas, il vous faut un bouc émissaire. Michel Tabachnik a écrit un livre depuis cette affaire. Pierre Boulez lui a fait une préface merveilleuse. Pierre Boulez disait : "Michel Tabachnik vit avec désormais accrochée au cou la crécelle des lépreux. Dès qu'il arrive, la crécelle des lépreux résonne, et tout le monde doit s'écarter." Grâce à vous, Monsieur le procureur, Michel Tabachnik a perdu sa raison d'être, c'est-à-dire son emploi de chef d'orchestre. Désormais il est pestiféré. Désormais, il ne peut faire de la musique que dans un cadre très restreint.

La vérité de ce dossier, Monsieur le représentant de l'accusation, c'est que, contrairement à ce que vous soutenez, Michel Tabachnik n'a incité personne à la mort. Le projet criminel de l'OTS a été mis en œuvre en Australie en 1993. Or, à cette période, Michel Tabachnik n'avait plus de lien avec le groupe qui va préparer les assassinats. Alors, je sais, Michel Tabachnik va réapparaître en juillet 1994 pour animer une conférence à Avignon. C'est Joseph Di Mambro, le numéro 2 de la secte, décédé depuis, qui l'avait relancé. Eh bien, oui, Tabachnik, cet imbécile, cet âne a accepté ! C'est le côté cocotte des artistes. Un chef d'orchestre, ça aime briller, ça aime paraître. Alors, oui il a accepté, mais les propos qu'il a pu tenir n'avaient à ses yeux qu'une portée symbolique. Jamais il n'a imaginé un seul instant que son discours puisse être pris au pied de la lettre. Alors, oui, il s'est peut-être montré complaisant, voire irresponsable, vous pouvez le penser, mais c'est une qualification morale, un jugement de valeur, cela ne peut en rien constituer une responsabilité pénale. À aucun moment d'ailleurs, sa responsabilité n'a été retenue par les magistrats helvétiques qui ont enquêté sur les massacres intervenus dans leur pays.

La vérité de ce dossier, enfin, c'est que Michel Tabachnik, loin d'être le numéro trois de l'ordre, ou l'ambassadeur du Temple solaire était tombé sous la coupe de Di Mambro. Tabachnik pour Joseph Di Mambro, c'est l'idiot utile. C'est celui que Di Mambro montre, met en avant, parce qu'il a un statut social, parce qu'il brille, parce qu'il est chef d'orchestre. Mais ce n'est pas parce qu'il est chef d'orchestre, qu'il est le chef d'orchestre du Temple solaire ! Oui, c'était l'idiot utile comme disaient les communistes à propos de ces intellectuels qui signaient leurs pétitions. Mais, Michel Tabachnik est aux antipodes de la philosophie développée par Di Mambro. Il est profondément attaché à la vie. Rien dans son comportement ne le prédispose à développer une philosophie de la mort. Rien !

Monsieur le président, lorsqu'on fait le procès des mots, des écrits, on est très loin de la justice. Toutes les religions font allusion à la mort. On ne peut pas ainsi offrir en sacrifice un homme sur une accusation aussi floue, aussi tronquée, aussi scandaleuse. Condamner Michel Tabachnik, ce serait la pire défaite de la justice. La relaxe de Michel Tabachnik dira que la justice n'est pas sous influence, qu'elle refuse d'entrer dans un procès en sorcellerie. »

JUGEMENT :

Le 25 juin 2001, le tribunal correctionnel de Grenoble relaxe Michel Tabachnik. Cette décision sera ensuite confirmée en appel.

LA PLAIDOIRIE DE ROBERT BADINTER

POUR DEMANDER L'ABOLITION DE LA PEINE DE MORT

L'abolition de la peine de mort

17 septembre 1981. « La parole est à Monsieur le garde des Sceaux, ministre de la Justice. » L'Assemblée retient son souffle. Robert Badinter monte à la tribune du Parlement. Il pose fermement ses mains sur le pupitre. Il ne tremble pas. Il n'est entré en politique que pour cet instant. Il doit convaincre. Ce discours devant les députés sera sa dernière plaidoirie. Et l'aboutissement d'un long combat débuté en 1972. Cette année-là, à Troyes, Roger Bontems et Claude Buffet, les deux auteurs d'une prise d'otages à la centrale de Clairvaux durant laquelle une infirmière et un gardien de prison ont été assassinés, sont condamnés à la guillotine. Durant le procès, Buffet revendique les crimes. Bontems, en pleurs, nie avoir donné la mort. Robert Badinter, son avocat, est convaincu qu'il dit vrai. Les jurés ne feront pas la différence entre l'assassin et son complice. Les deux hommes seront exécutés. Robert Badinter est révolté. Comment peut-on condamner à mort quelqu'un qui n'a pas tué ? À 44 ans, ce fils d'immigrés russes vient de trouver sa cause. Il milite dans des associations, participe à des congrès, multiplie les interventions à la radio et à la télévision. Il est charismatique. Il devient une voix qu'on écoute. Et le porte-parole du mouvement abolitionniste.

1976, Robert Badinter est de retour à Troyes. Il défend cette fois Patrick Henry, l'assassin du jeune Philippe Bertrand. Ce fait divers a traumatisé les Français. L'opinion publique, chauffée à blanc, exige une peine exemplaire : la mort du criminel qui, seule, semble pouvoir réparer la douleur des parents. À l'audience, l'avocat se bat comme un enragé, tentant de faire partager cette conviction profonde qui le porte : la mort ne dissuade pas, ne libère pas. À la barre, il convoque des experts en criminologie, des personnalités religieuses. Il transforme le procès Henry en procès de la peine de mort. « Vous avez, vous et vous seuls, à cette minute, le droit de vie et de mort sur quelqu'un, lance-t-il aux jurés à la fin de son plaidoyer. Croire que quand on aura liquidé un criminel, on en aura fini avec le crime, ce n'est pas vrai. Exactement comme jadis, on brûlait ceux qu'on considérait comme des sorciers, parce que, en même temps, on se disait qu'on en aurait fini avec le malin, évidemment ça recommençait. Dites-vous bien, que, si vous le coupez en deux, eh bien ça ne dissuadera rien ni personne. » À l'énoncé du verdict, la salle du tribunal se fige, stupéfaite, incrédule : Patrick Henry est condamné à la réclusion criminelle à perpétuité et échappe à l'échafaud. Il fallait huit voix sur douze pour la peine capitale et sept membres du jury seulement ont voté la mort. Désormais rien ne sera plus jamais comme avant. Des jurés ont donné sa chance au pire des criminels et accepté l'idée qu'il puisse changer. Ce verdict marque une étape décisive dans la lutte pour l'abolition. Certes, les Français dans leur majorité – tous les sondages réalisés à cette époque le démontrent – restent partisans de la guillotine. Mais devant la cour d'assises de Troyes, Robert Badinter a prouvé que l'inimaginable était désormais possible.

1981. La gauche remporte les élections. Durant la campagne électorale, François Mitterrand a fait connaître son opposition à la peine de mort. Robert Badinter devient ministre de la Justice. Et ce 17 septembre 1981, dans l'hémicycle, il se lance dans son ultime bataille contre sa vieille ennemie.

EXTRAITS DU DISCOURS DE ROBERT BADINTER
PRONONCÉ LE 17 SEPTEMBRE 1981,
À L'ASSEMBLÉE NATIONALE POUR DEMANDER
AUX DÉPUTÉS L'ABOLITION DE LA PEINE DE MORT.

« Monsieur le président, Mesdames, Messieurs les députés, j'ai l'honneur au nom du Gouvernement de la République, de demander à l'Assemblée nationale l'abolition de la peine de mort en France.

Le débat qui est ouvert aujourd'hui devant vous est d'abord un débat de conscience et le choix auquel chacun d'entre vous procédera l'engagera personnellement.

Près de deux siècles se sont écoulés depuis que dans la première assemblée parlementaire qu'ait connue la France, Le Pelletier de Saint-Fargeau demandait l'abolition de la peine capitale. C'était en 1791.

Je regarde la marche de la France.

La France est grande, non seulement par sa puissance, mais au-delà de sa puissance, par l'éclat des idées, des causes, de la générosité qui l'ont emporté aux moments privilégiés de son histoire.

La France est grande parce qu'elle a été la première en Europe à abolir la torture malgré les esprits précautionneux qui, dans le pays, s'exclamaient à l'époque que, sans la torture, la justice française serait désarmée, que, sans la torture, les bons sujets seraient livrés aux scélérats.

La France a été parmi les premiers pays du monde à abolir l'esclavage, ce crime qui déshonore encore l'humanité.

Il se trouve que la France aura été, en dépit de tant d'efforts courageux, l'un des derniers pays, presque le dernier – et je baisse la voix pour le dire – en Europe occidentale, dont elle a été si souvent le foyer et le pôle, à abolir la peine de mort.

Attendre, après deux cents ans !

Attendre, comme si la peine de mort ou la guillotine était un fruit qu'on devrait laisser mûrir avant de le cueillir !

Attendre ? Nous savons bien en vérité que la cause était la crainte de l'opinion publique. D'ailleurs, certains vous diront, Mesdames, Messieurs les députés, qu'en votant l'abolition vous méconnaîtriez les règles de la démocratie parce que vous ignoreriez l'opinion publique. Il n'en est rien.

Nul plus que vous, à l'instant du vote sur l'abolition, ne respectera la loi fondamentale de la démocratie.

Je me réfère non pas seulement à cette conception selon laquelle le Parlement est, suivant l'image employée par un grand Anglais, un phare qui ouvre la voie de l'ombre pour le pays, mais simplement à la loi fondamentale de la démocratie qui est la volonté du suffrage universel et, pour les élus, le respect du suffrage universel.

En vérité, la question de la peine de mort est simple pour qui veut l'analyser avec lucidité. Elle ne se pose pas en termes de dissuasion, ni même de technique répressive, mais en termes de choix politique ou de choix moral.

Je l'ai déjà dit, mais je le répète volontiers au regard du grand silence antérieur : le seul résultat auquel ont conduit toutes les recherches menées par les criminologues est la constatation de l'absence de lien entre la peine de mort et l'évolution de la criminalité sanglante. Il n'est pas difficile d'ailleurs, pour qui veut s'interroger loyalement, de comprendre pourquoi. Si vous y réfléchissez simplement, les crimes les plus terribles, ceux qui saisissent le plus la sensibilité publique – et on le comprend – ceux qu'on appelle les crimes atroces sont commis le plus souvent par des hommes emportés par une pulsion de violence et de mort qui abolit jusqu'aux défenses de la raison. À cet instant de folie, à cet instant de passion meurtrière, l'évocation de la peine, qu'elle soit de mort ou qu'elle soit perpétuelle, ne trouve pas sa place chez l'homme qui tue.

Qu'on ne me dise pas que, ceux-là, on ne les condamne pas à mort. Il suffirait de reprendre les annales des dernières années pour se convaincre du contraire. Olivier, exécuté, dont l'autopsie a révélé que son cerveau présentait des anomalies frontales. Et Carrein, et Rousseau, et Garceau.

Quant aux autres, les criminels dits de sang-froid, ceux qui pèsent les risques, ceux qui méditent le profit et la peine, ceux-là, jamais vous ne les retrouverez dans des situations où ils risquent l'échafaud. Truands raisonnables, profiteurs du crime, criminels organisés, proxénètes, trafiquants, *mafiosi*, jamais vous ne les trouverez dans ces situations-là. Jamais !

Ceux qui interrogent les annales judiciaires, car c'est là où s'inscrit dans sa réalité la peine de mort, savent que dans les trente dernières années vous n'y trouvez pas le nom d'un "grand" gangster, si l'on peut utiliser cet adjectif en parlant de ce type d'hommes. Pas un seul "ennemi public" n'y a jamais figuré.

En fait, ceux qui croient à la valeur dissuasive de la peine de mort méconnaissent la vérité humaine. La passion criminelle n'est pas plus arrêtée par la peur de la mort que d'autres passions ne le sont qui, celles-là, sont nobles.

Et si la peur de la mort arrêtait les hommes, vous n'auriez ni grands soldats, ni grands sportifs. Nous les admirons, mais ils n'hésitent pas devant la mort. D'autres, emportés par d'autres passions, n'hésitent pas non plus. C'est seulement pour la peine de mort qu'on invente l'idée que la peur de la mort retient l'homme dans ses passions extrêmes. Ce n'est pas exact.

Je vous dirai pourquoi, plus qu'aucun autre, je puis affirmer qu'il n'y a pas dans la peine de mort de valeur dissuasive : sachez bien que, dans la foule qui, autour du palais de justice de Troyes, criait au passage de Buffet et de Bontems : "À mort Buffet ! À mort Bontems !" se trouvait un jeune homme qui s'appelait Patrick Henry. Croyez-moi, à ma stupéfaction, quand je l'ai appris, j'ai compris ce que pouvait signifier, ce jour-là, la valeur dissuasive de la peine de mort !

Et pour vous qui êtes hommes d'État, conscients de vos responsabilités, croyez-vous que les hommes d'État, nos amis, qui dirigent le sort et qui ont la responsabilité des grandes démocraties occidentales, aussi exigeante que soit en eux la passion des valeurs morales qui sont celles des pays de liberté, croyez-vous que ces hommes responsables auraient voté l'abolition ou n'auraient pas rétabli la peine capitale s'ils avaient pensé que celle-ci pouvait être de quelque utilité par sa valeur dissuasive contre la criminalité sanglante ? Ce serait leur faire injure que de le penser.

Il suffit, en tout cas, de vous interroger très concrètement et de prendre la mesure de ce qu'aurait signifié exactement l'abolition si elle avait été votée en France en 1974, quand le précédent président de la République confessait volontiers, mais généralement en privé, son aversion personnelle pour la peine de mort.

L'abolition votée en 1974, pour le septennat qui s'est achevé en 1981, qu'aurait-elle signifié pour la sûreté et la sécurité des Français ? Simplement ceci : trois condamnés à mort, qui se seraient ajoutés aux 333 qui se trouvent actuellement dans nos établissements pénitentiaires. Trois de plus.

Lesquels ? Je vous les rappelle. Christian Ranucci : je n'aurais garde d'insister, il y a trop d'interrogations qui se lèvent à son sujet, et ces seules interrogations suffisent, pour toute conscience éprise de justice, à condamner la peine de mort. Jérôme Carrein : débile, ivrogne, qui a commis un crime atroce, mais qui avait pris par la main devant tout le village la petite fille qu'il allait tuer quelques instants plus tard, montrant par là même qu'il ignorait la force qui allait l'emporter. Enfin, Djandoubi, qui était unijambiste et qui, quelle que soit l'horreur – et le terme n'est pas trop fort – de ses crimes, présentait tous les signes d'un déséquilibre et qu'on a emporté sur l'échafaud après lui avoir enlevé sa prothèse.

Loin de moi l'idée d'en appeler à une pitié posthume : ce n'est ni le lieu ni le moment, mais ayez simplement présent à votre esprit que l'on s'interroge encore à propos de l'innocence du premier, que le deuxième était un débile et le troisième un unijambiste.

Peut-on prétendre que si ces trois hommes se trouvaient dans les prisons françaises, la sécurité de nos concitoyens se trouverait de quelque façon compromise ? C'est cela la vérité et la mesure exacte de la peine de mort. C'est simplement cela.

La question ne se pose pas, et nous le savons tous, en termes de dissuasion ou de technique répressive, mais en termes politiques et surtout de choix moral.

Que la peine de mort ait une signification politique, il suffirait de regarder la carte du monde pour le constater. Les choses sont claires. Dans la majorité écrasante des démocraties occidentales, en Europe particulièrement, dans tous les pays où la liberté est inscrite dans les institutions et respectée dans la pratique, la peine de mort a disparu. Dans les pays de liberté, la loi commune est l'abolition, c'est la peine de mort qui est l'exception. Partout, dans le monde, et sans aucune exception, où triomphent la dictature et le mépris des droits de l'homme, partout vous y trouvez inscrite, en caractères sanglants, la peine de mort. Voici la première évidence : dans les pays de liberté, l'abolition est presque partout la règle ; dans les pays où règne la dictature, la peine de mort est partout pratiquée.

Ce partage du monde ne résulte pas d'une simple coïncidence, mais exprime une corrélation. La vraie signification politique de la peine de mort, c'est bien qu'elle procède de l'idée que l'État a le droit de disposer du citoyen jusqu'à lui retirer la vie. C'est par là que la peine de mort s'inscrit dans les systèmes totalitaires.

Je sais qu'aujourd'hui – et c'est là un problème majeur – certains voient dans la peine de mort une sorte de recours ultime, une forme de défense extrême de la démocratie contre la menace grave que constitue le terrorisme. La guillotine, pensent-ils, protégerait éventuellement la démocratie au lieu de la déshonorer.

Cet argument procède d'une méconnaissance complète de la réalité. En effet, l'Histoire montre que s'il est un type de crime qui n'a jamais reculé devant la menace de mort, c'est le crime politique. Et, plus spécifiquement, s'il est un type de femme ou d'homme que la menace de la mort ne saurait faire reculer, c'est bien le terroriste. D'abord, parce qu'il l'affronte au cours de l'action violente ; ensuite parce que, au fond de lui, il éprouve cette trouble fascination de la violence et de la mort, celle qu'on donne, mais aussi celle qu'on reçoit. Le terrorisme qui, pour moi, est un crime majeur contre la démocratie, et qui, s'il devait se lever dans ce pays, serait réprimé et poursuivi avec toute la fermeté requise, a pour cri de ralliement, quelle que soit l'idéologie qui l'anime, le terrible cri des fascistes de la guerre d'Espagne : "Viva la muerte !", "Vive la mort !" Alors, croire qu'on l'arrêtera avec la mort, c'est illusion.

Allons plus loin. Si, dans les démocraties voisines, pourtant en proie au terrorisme, on se refuse à rétablir la peine de mort, c'est, bien sûr, par exigence morale, mais aussi par raison politique. Vous savez, en effet, qu'aux yeux de certains et surtout des jeunes, l'exécution du terroriste le transcende, le dépouille de ce qu'a été la réalité criminelle de ses actions, en fait une sorte de héros qui aurait été jusqu'au bout de sa course, qui, s'étant engagé au service d'une cause, aussi odieuse soit-elle, l'aurait servie jusqu'à la mort. Dès lors, apparaît le risque considérable, que précisément les hommes d'État des démocraties amies ont pesé, de voir se lever dans l'ombre, pour un terroriste exécuté, vingt jeunes gens égarés. Ainsi, loin de le combattre, la peine de mort nourrirait le terrorisme.

À cette considération de fait, il faut ajouter une donnée morale : utiliser contre les terroristes la peine de mort, c'est, pour une démocratie, faire siennes les valeurs de ces derniers. Quand, après l'avoir arrêté, après lui avoir extorqué des correspondances terribles, les terroristes, au terme d'une parodie dégradante de justice, exécutent celui qu'ils ont enlevé, non seulement ils commettent un crime odieux, mais ils tendent à la démocratie le piège le plus insidieux, celui d'une violence meurtrière qui, en forçant cette démocratie à recourir à la peine de mort, pourrait leur permettre de lui donner, par une sorte d'inversion des valeurs, le visage sanglant qui est le leur.

Cette tentation, il faut la refuser, sans jamais, pour autant, composer avec cette forme ultime de la violence, intolérable dans une démocratie, qu'est le terrorisme.

Du malheur et de la souffrance des victimes, j'ai, beaucoup plus que ceux qui s'en réclament, souvent mesuré dans ma vie l'étendue. Que le crime soit le point de rencontre, le lieu géométrique du malheur humain, je le sais mieux que personne. Malheur de la victime elle-même et, au-delà, malheur de ses parents et de ses proches. Malheur aussi des parents du criminel. Malheur enfin, bien souvent, de l'assassin. Oui, le crime est malheur, et il n'y a pas un homme, pas une femme de cœur, de raison, de responsabilité, qui ne souhaite d'abord le combattre.

Mais ressentir, au profond de soi-même, le malheur et la douleur des victimes, mais lutter de toutes les manières pour que la violence et le crime reculent dans notre société, cette sensibilité et ce combat ne sauraient impliquer la nécessaire mise à mort du coupable. Que les parents et les proches de la victime souhaitent cette mort, par réaction naturelle de l'être humain blessé, je le comprends, je le conçois. Mais c'est une réaction humaine, naturelle. Or tout le progrès historique de la justice a été de dépasser la vengeance privée. Et comment la dépasser, sinon d'abord en refusant la loi du talion ?

La vérité est que, au plus profond des motivations de l'attachement à la peine de mort, on trouve, inavouée le plus souvent, la tentation de l'élimination. Ce qui paraît insupportable à beaucoup, c'est moins la vie du criminel emprisonné que la peur qu'il ne récidive un jour. Et ils pensent que la seule garantie, à cet égard, est que le criminel soit mis à mort par précaution.

Ainsi, dans cette conception, la justice tuerait moins par vengeance que par prudence. Au-delà de la justice d'expiation, apparaît donc la justice d'élimination, derrière la balance, la guillotine. L'assassin doit mourir tout simplement parce que, ainsi, il ne récidivera pas. Et tout paraît si simple, et tout paraît si juste !

Mais quand on accepte ou quand on prône la justice d'élimination, au nom de la justice, il faut bien savoir dans quelle voie on s'engage. Pour être acceptable, même pour ses partisans, la justice qui tue le criminel doit tuer en connaissance de cause. Notre justice, et c'est son honneur, ne tue pas les déments. Mais elle ne sait pas les identifier à coup sûr, et c'est à l'expertise psychiatrique, la plus aléatoire, la plus incertaine de toutes, que, dans la réalité judiciaire, on va s'en remettre. Que le verdict psychiatrique soit favorable à l'assassin, et il sera épargné. La société acceptera d'assumer le risque qu'il représente sans que quiconque s'en indigne. Mais que le verdict psychiatrique lui soit défavorable, et il sera exécuté. Quand on accepte la justice d'élimination, il faut que les responsables politiques mesurent dans quelle logique de l'Histoire on s'inscrit.

Il s'agit bien, en définitive, dans l'abolition, d'un choix fondamental, d'une certaine conception de l'homme et de la justice. Ceux qui veulent une justice qui tue, ceux-là sont animés par une double conviction : qu'il existe des hommes totalement coupables, c'est-à-dire des hommes totalement responsables de leurs actes, et qu'il peut y avoir une justice sûre de son infaillibilité au point de dire que celui-là peut vivre et que celui-là doit mourir.

À cet âge de ma vie, l'une et l'autre affirmation me paraissent également erronées. Aussi terribles, aussi odieux que soient leurs actes, il n'est point d'hommes en cette terre dont la culpabilité soit totale et dont il faille pour toujours désespérer totalement. Aussi prudente que soit la justice, aussi mesurés et angoissés que soient les femmes et les hommes qui jugent, la justice demeure humaine, donc faillible.

Cette sorte de loterie judiciaire, quelle que soit la peine qu'on éprouve à prononcer ce mot quand il y va de la vie d'une femme ou d'un homme, est intolérable.

Le choix qui s'offre à vos consciences est donc clair : ou notre société refuse une justice qui tue et accepte d'assumer, au nom de ses valeurs fondamentales – celles qui l'ont faite grande et respectée entre toutes – la vie de ceux qui font horreur, déments ou criminels ou les deux à la fois, et c'est le choix de l'abolition ; ou cette société croit, en dépit de l'expérience des siècles, faire disparaître le crime avec le criminel, et c'est l'élimination.

Parce que l'abolition est un choix moral, il faut se prononcer en toute clarté. Le Gouvernement vous demande donc de voter l'abolition de la peine de mort sans l'assortir d'aucune restriction ni d'aucune réserve.

Dans le même dessein de clarté, le projet n'offre aucune disposition concernant une quelconque peine de remplacement. Pour des raisons morales d'abord : la peine de mort est un supplice, et l'on ne remplace pas un supplice par un autre.

J'en ai terminé.

Demain, grâce à vous la justice française ne sera plus une justice qui tue. Demain, grâce à vous, il n'y aura plus, pour notre honte commune, d'exécutions furtives, à l'aube, sous le dais noir, dans les prisons françaises. Demain, les pages sanglantes de notre justice seront tournées.

À cet instant plus qu'à aucun autre, j'ai le sentiment d'assumer mon ministère, au sens ancien, au sens noble,

le plus noble qui soit, c'est-à-dire au sens de "service".
Demain, vous voterez l'abolition de la peine de mort.
Législateur français, de tout mon cœur, je vous en
remercie. »

VERDICT :

Le 18 septembre 1981, les députés votent l'abolition
de la peine de mort par 369 voix pour, 113 contre.

Remerciements

Je tiens d'abord à remercier tous les avocats qui ont accepté de me confier leurs plaidoiries. Ce livre n'aurait pas pu exister sans leur contribution.

Un grand merci aussi à Pascale Robert Diard et à tous les confrères qui m'ont permis de consulter leurs notes d'audience.

Merci également à Marie-France Etchegoin, pour sa relecture attentive, et à Julia Germillon et Yves Ozanam, pour leur aide précieuse.

Merci enfin à Clara, Lily, Vincent et Augustin pour leur bonne humeur et leur soutien chaleureux.

Cet ouvrage a été composé et mis en page
par PCA, 44400 Rezé

Imprimé en France par **CPI**
en janvier 2020
N° d'impression : 3036619

Dépôt légal : juillet 2013
Suite du premier tirage : janvier 2020
S21668/12